ChatGPTの頭の中

スティーヴン・ウルフラム
Stephen Wolfram

稲葉通将 監訳
高橋聡 訳

ハヤカワ新書 009

WHAT IS ChatGPT DOING...
AND WHY DOES IT WORK ?
by
Stephen Wolfram

Original English language edition published by
Wolfram Media
100 Trade Center Dr. 6th Floor,
Champaign Illinois 61820, USA.
Japanese edition supervised by
Michimasa Inaba
Translated by
Akira Takahashi
First published 2023 in Japan by
Hayakawa Publishing, Inc.
Arranged via Licensor's Agent: DropCap Inc.
through Tuttle-Mori Agency Inc., Tokyo

はじめに

本書では、ChatGPTがどのように動くのか、なぜ動くのかを、その原理から簡潔に解き明かすことを試みる。同時に、これは科学についての物語でもある。哲学という面もある。そうした物語を伝えるためには、何世紀にもわたって積み重ねられてきた、多岐にわたる思想と発見も動員することになるだろう。

長年にわたって関心を持ち続けてきた多くのことが、突然の事態の進展に伴って軌道に乗るようになったのは、うれしい限りだ。単純なプログラムの複雑な動作から、言語や意味が持つ中核的な特性、そして大規模なコンピューターシステムという現実まで、あらゆることがChatGPTの物語には関係している。

ChatGPTのベースにあるのは、ニューラルネットという概念だ。もともとは、人間の脳のはたらきを理想化するために、1940年代に考案されたものである。私がニューラルネットを初めてプログラミングしたのは1983年のことだったが、めぼしい成果はなにもなかった。それから40年がたち、コンピューターは比較に意味がないほど高速になり、今やウェブ上には億単位のページが存在する。エンジニアリング上のイノベーションも次々と続き、状況は劇的に変わってきている。そして、誰もが驚いたように、私が1983年に作ったものより何十億倍も巨大になったニューラルネットは、人間だけの特性と考えられてきたこと、すなわち意味のある人間の言語を生み出すことを実現したのである。

本書は、ChatGPTが登場した直後に書いた2つの文章で構成されている。第1部では、ChatGPTについて、また言語を生成するというきわめて人間的なことを実現しているその機能について説明する。第2部では、ChatGPTが計算処理ツールを利用して、人間にできることの先まで進んでいくという期待、特にわれわれウルフラム・リサーチ社が開発したWolfram|Alpha（ウルフラムアルファ）システムが備えている計算知識という「強大な力」を活用するという展望にまで視野を広げていく。

ChatGPTが発表されてから、まだ3カ月たらず。現実と知的活動のどちらについても、その影響の大きさはようやく理解されはじめたばかりだ。だが、現時点ですでに、ChatGPTの出現であらためて気づかされたことがある。あらゆるものが発明され、発見された今日でもなお、新鮮な驚きは決してなくならないということだ。

スティーヴン・ウルフラム

2023年2月28日

目　次

編注　Wolfram 言語の基本

本書ではChatGPTの機能と特性を解説するにあたって、プログラミング言語の一種である「Wolfram言語」で書かれたコードを使用しています。たとえば、以下のコードを見てみましょう。

```
In[1]:= Range[10]
Out[1]= {1 ,2, 3, 4, 5, 6, 7, 8, 9, 10}
```

「In」は入力、「Out」は出力を示し、[数字]はその順番を示しています。上のコードでは、Range[10]、すなわち10までの整数の範囲を全て出力せよという命令を入力することで、{1,2,3,4,5,6,7,8,9,10}という結果が出力されているというわけです。

Wolfram言語において、入力は「2+2」のような数式や、「組み込み関数［引数］」で指定します。組み込み関数はその用途に対応する英単語で定義されており、Range（指定された範囲の値の出力）、Dated（指定された日付の出力）など約6,000個が用意されています。

本書では、多種多様な組み込み関数が使用されています。その機能については個別に簡単な説明がありますが、一例として本書13ページで使用されている、

```
In[●]:= model["The best thing about AI is its ability
        to",{"TopProbabilities", 5}]
Out[●]= { do → 0.0288508, understand → 0.0307805,
        make → 0.0319072, predict → 0.0349748,
        learn → 0.0445305}
```

では、GPT-2の言語モデルから「The best thing about AI is its ability to」に続く確率の高い上位5つの単語を出力せよという命令に対して、その通りの結果が、つまり単語と確率が出力されています（本書では、入力順と出力順を示す数字は●で代用されています）。

第1部
ChatGPTは何をしているのか、なぜ動くのか

実は、１つずつ単語を足しているだけ

ChatGPTで自動生成される文章は、たとえ表面的にだとしても、人間が書いた文章と同じように読める。これは驚異的であり、予想外でもある。では、ChatGPTはどうやってそれを実現しているのだろうか。なぜ動くのだろうか。本書で私がめざすのは、ChatGPTの内部で起こっていることについてあらましをお伝えすること、そして意味のある文章だと思える内容をこれほどうまく出力できる理由を明らかにすることだ。あらかじめ言っておくと、説明の主眼はあくまでも概要であり、エンジニアリングに関する詳細に言及することはあっても、深く立ち入ることはしない（私の説明で中核に当たる部分の要旨は、ChatGPTに限らず、現在の「大規模言語モデル（LLM）」一般にも当てはまるはずである）。

何よりもまず押さえておきたい点がある。ChatGPTは基本的に、そこまでに出力された内容の「順当な続き」を出力しようと試みるということだ。ここでいう「順当」とは、「億単位のウェブページなどに書かれている内容を見たうえで人間が書きそうだと予測される」という意味である。

たとえば、「The best thing about AI is its ability to（AIの一番の長所としてあげられるのは）」という書きかけの文があるとする。人間が書いた億単位の文章を（ウェブページや電子書籍などから）スキャンして、この一文

が出現するあらゆるケースを見つけ、どの単語がどのくらいの確率で次に続くかを調べる。ChatGPTはこの種の処理が得意なのだが、かといって文字を追って文章を見ているわけではなく（詳しくは後述する）、ある意味で「意味が一致する」ものを探している。といっても結局のところは、次のような「確率」でランク付けされたリストに従って、あとに続く単語を出力しているにすぎない。

The best thing about AI is its ability to
（AIの一番の長所としてあげられるのは）

learn（学ぶこと）	4.5%
predict（予測すること）	3.5%
make（作ること）	3.2%
understand（理解すること）	3.1%
do（すること）	2.9%

ChatGPTで驚異的なのは、たとえば小論文を書くときなどでも、基本的には「ここまでの文を受けて、次に続く単語は何か？」という質問を繰り返し、そのたびに1つずつ単語を追加しているにすぎないということだ。厳密に言うと、これもまた後述するように、実際には「トークン」と呼ばれるものを追加している。トークンは単語の一部の場合もあって、ChatGPTがときどき「存在しない言葉を造語する」のは、これが理由である。

いずれにしても、ChatGPTが単語とその確率をリストとして取得することは分かった。では、実際問題として、小論文（でも何でも）を書きながら次に追加していく単語をどうやって選んでいるのか。普通なら「ランクの高い」単語、つまり「確率」が最も高い単語が選ばれるはずだと考えるだろう。だが、ここで不思議な魔術が登場する。理由ははっきりしていないのだが――いずれは科学的に説明できる日が来るのかもしれない――、常に最高ランクの単語を選んでいると、どうにも「単調な」小論文になるのが常で、「クリエイティビティを発揮する」ところがまったくなくなってしまうのだ（ときには、一言一句を変えずに繰り返すことさえある）。逆に、ときどきはランクの低い単語をランダムに選んでやると、「もっと興味深い」小論文ができあがる。

ここでランダムさが介在してきたことでも分かるように、同じプロンプト〔画像・文章などを生成するAIに対する指示や命令のこと〕を何度か繰り返すと、そのたびに違った小論文が生成される可能性が高い。引き続き魔術めいた言葉を使うが、ランクの低い単語を使う頻度を決める「温度」というパラメーターが存在し、小論文を生成する場合には、この「温度」を0.8に設定すると最もうまく機能することが分かっている（ここではどんな「理論」も使われていないことを、あらためて強調しておいたほうがいいだろう。現実にうまく機能することが、ただ分かっているだけなのだ。「温度」という概念を持ち出しているのも、統計物理学でおなじみの指数分布をたまたま使っているだけで、実際に「物理学的」な関係があるわけではない。いま分かっている限りでは）。

話を先に進める前に、本書では説明の都合上、ChatGPTのフルシステムではなく、それより単純なGPT-2を主に扱っていることをお断りしておく。十分な機能を備えていながら、標準的なデスクトップコンピューターでも実行できるくらい小規模だからだ。したがって、これから展開する説明のほとんどは、Wolfram言語の分かりやすいコードで示すことができる。読者も、そのコードをすぐに実行できるはずだ。

たとえば、先ほど示した確率の表を取得するコードは次のようになる。まず、基盤の「言語モデル」となるニューラルネットを取得する。

```
In[●]:= model = NetModel[{"GPT2 Transformer Trained
        on WebText Data", "Task" → "LanguageModeling"}]
```

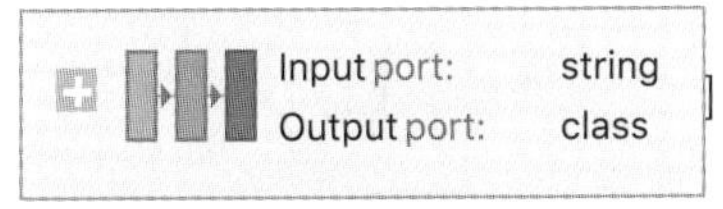

このニューラルネットの中身とそのしくみについては、後ほど説明する。今はひとまず、これまでに確定している文にこの「ネットモデル」をブラックボックスとして適用し、そのあとに続くとモデルが想定する上位5つの単語を確率順で尋ねてみよう。

```
In[●]:= model["The best thing about AI is its ability to",
          {"TopProbabilities", 5}]
Out[●]= { do → 0.0288508, understand → 0.0307805,
```

```
make    → 0.0319072, predict   → 0.0349748,
learn → 0.0445305}
```

このコードの結果は次のようになり、分かりやすくフォーマットされた「データセット」が出力される。

```
In[•]:= Dataset[ReverseSort[Association[%]],
        ItemDisplayFunction → (PercentForm[#, 2] &)]
```

Out[•]=

learn（学ぶこと）	4.5%
predict（予測すること）	3.5%
make（作ること）	3.2%
understand（理解すること）	3.1%
do（すること）	2.9%

繰り返しこの「モデルを適用」していくと、次のようになる。確率が最上位の単語から、1ステップに1つずつ追加していることが分かる（以下のコードでは、モデルからの “Decision” として指定している）。

```
In[•]:= NestList[StringJoin[#, model[#, "Decision"]] &,
     "The best thing about AI is its ability to", 7]
Out[•]={The best thing about AI is its ability to,
        The best thing about AI is its ability to learn,
        The best thing about AI is its ability to learn
        from,
        The best thing about AI is its ability to learn
        from experience,
```

The best thing about AI is its ability to learn from experience.,
The best thing about AI is its ability to learn from experience. It,
The best thing about AI is its ability to learn from experience. It's,
The best thing about AI is its ability to learn from experience. It's not}

これをさらに続けていったらどうなるか。この例（温度ゼロ）だと、結果はすぐ支離滅裂になり、繰り返しも増えていく。

The best thing about AI is its ability to learn from experience. It's not just a matter of learning from experience, it's learning from the world around you. The AI is a very good example of this. It's a very good example of how to use AI to improve your life. It's a very good example of how to use AI to improve your life. The AI is a very good example of how to use AI to improve your life. It's a very good example of how to use AI to

では、常に「最上位」の単語を選ぶのではなく、「最上位ではない」単語をときどきランダムに選んだらどうなるだろうか（温度0.8に当たる「ランダムさ」を指定する）。やはり同じように、文を段階的に伸ばしていくことができる。

{The best thing about AI is its ability to,
The best thing about AI is its ability to create,
The best thing about AI is its ability to create worlds,
The best thing about AI is its ability to create worlds that,
The best thing about AI is its ability to create worlds that are,
The best thing about AI is its ability to create worlds that are both,
The best thing about AI is its ability to create worlds that are both exciting
The best thing about AI is its ability to create worlds that are both exciting,}

これを実行するたびに、文の続きはランダムに選択されるので、できあがる文も違ってくる。その例を５つあげよう。

The best thing about AI is its ability to learn. I've always liked the
The best thing about AI is its ability to really come into your world and just
The best thing about AI is its ability to examine human behavior and the way it

The best thing about AI is its ability to do a great job of teaching us
The best thing about AI is its ability to create real tasks, but you can

ここで指摘しておきたいのが、最初の時点（温度0.8）では選択できる「次の単語」候補がたくさんあるものの、その確率は急速に下がっていくということだ（ご覧のように、以下の両対数グラフ上の直線は、n^{-1}の「べき乗則」で減衰しており、これは言語の一般的な特性に表れる大きな特徴である）。

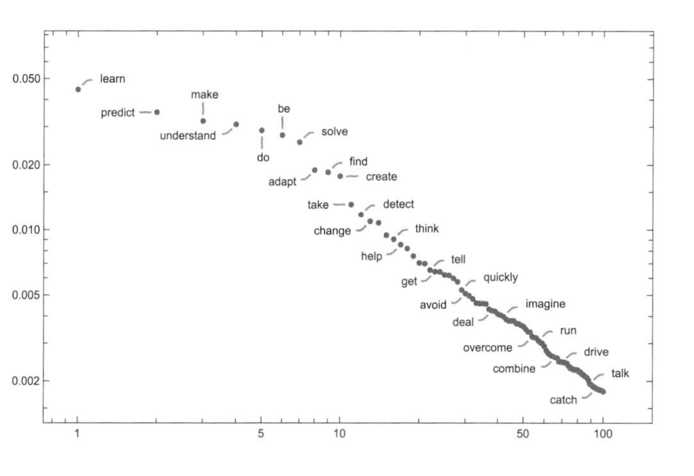

では、これをもっと長く続けていったらどうなるか。次に示したのはその一例で、最上位（温度ゼロ）の単語を使った場合よりは良くなっているが、控え目に言ってもまだ奇異な文章だ。

> The best thing about AI is its ability to see through, and make sense of, the world around us, rather than panicking and ignoring. This is known as AI "doing its job" or AI "run-of-the-mill." Indeed, taking an infinite number of steps, developing a machine that can be integrated with other systems, or controlling one system that's truly a machine, is one of the most fundamental processes of AI. Aside from the human-machine interaction, AI was also a big part of creativity

上のサンプルには、最も単純なGPT-2のモデル（2019年に発表）を使用した。それより新しく規模も大きいGPT-3のモデルを使うと、結果は改善される。上のサンプルと同じ「プロンプト」を指定し、GPT-3最大のモデルを使って最上位の単語（温度ゼロ）で文を出力すると、次のようになる。

> The best thing about AI is its ability to automate processes and make decisions quickly and accurately. AI can be used to automate mundane tasks, such as data entry, and can also be used to make complex decisions, such as predicting customer behavior or analyzing large datasets. AI can also be used to improve customer service, as it can quickly and accurately respond to customer

inquiries. AI can also be used to improve the accuracy of medical diagnoses and to automate the process of drug discovery.

さらに、温度0.8にしたランダムな出力サンプルはこうなる。

The best thing about AI is its ability to learn and develop over time, allowing it to continually improve its performance and be more efficient at tasks. AI can also be used to automate mundane tasks, allowing humans to focus on more important tasks. AI can also be used to make decisions and provide insights that would otherwise be impossible for humans to figure out.

確率はどこから求めるのか

ということで、ChatGPT が確率に基づいて次の単語を選んでいることは分かった。では、その確率はどこから来るのだろうか。まず簡単な問題として、英文を 1 文字ずつ（単語ではなく）生成する例を考えてみよう。1 文字ごとの確率は、どうやって求めるのか。

ごく単純に思いつくのは、英文のサンプルを調べて、それぞれの文字の出現頻度を計算するという方法だろう。たとえば次のようなコードを使って、ウィキペディアの「Cat（ネコ）」の記事に使われている文字を数えてみる。

```
In[●]:= LetterCounts[WikipediaData["cats"]]

Out[●]= <| e → 4279, a → 3442, t → 3397, i → 2739, s → 2615, n → 2464, o → 2426,
 r → 2147, h → 1613, l → 1552, c → 1405, d → 1331, m → 989, u → 916,
 f → 760, g → 745, p → 651, y → 591, b → 511, w → 509, v → 395, k → 212,
```

同じように、「Dog（イヌ）」についても文字を数える。

```
In[●]:= LetterCounts[WikipediaData["dogs"]]

Out[●]= <| e → 3911, a → 2741, o → 2608, i → 2562, t → 2528, s → 2406,
 n → 2340, r → 1866, d → 1584, h → 1463, l → 1355, c → 1083, g → 929,
 m → 859, u → 782, f → 662, p → 636, y → 500, b → 462, w → 409,
```

どちらも似たような結果にはなるが、同じではない。

たとえば「o」の文字は「Dog」の記事のほうが明らかに多い。なにしろ「dog」という単語に使われるのだから、これは当然だろう。いずれにしても、十分な量の英文をサンプルにできれば、最終的にはまずまず均一な結果を得ることができる。

In[●]:= English LANGUAGE [*character frequencies*]
Out[●]= {e → 12.7%, t → 9.06%, a → 8.17%, o → 7.51%, i → 6.97%, n → 6.75%, s → 6.33%, h → 6.09%, r → 5.99%, d → 4.25%, l → 4.03%, c → 2.78%, u → 2.76%, m → 2.41%, w → 2.36%, f → 2.23%, g → 2.02%, y → 1.97%, p → 1.93%, b → 1.49%, v → 0.978%, k → 0.772%, j → 0.153%, x → 0.150%, q → 0.0950%, z → 0.0740%}

こうして得られた確率だけで文字の並びを生成してみると、次のようになる。

rronoitadatcaeaesaotdoysaroiyiinnbantoioestlhddeocneooewceseciselnodrtrdmgriscsatsepesdcniouhoetsedeyhedslernevstothindtbmnaohngotannbthrdmthtonsipieldn

空白（スペース）も、一定の確率で出現する一種の文字と考えてここに追加し、単語を区切ってみると、こうなる。

sd n oeiaim satnwhoo eer rtr ofiianordrenapwokom del oaas ill e h f rellptohltvoettseodtrncilntehtotrkthrslo hdaol n sriaefr hthehtn ld gpod a h y oi

実際の英語に合わせて「単語の長さ」の分布も当てはめると、もう少し「単語」らしく見えるようになる。

ni hilwhuei kjtn isjd erogofnr n rwhwfao rcuw lis fahte uss cpnc nlu oe nusaetat llfo oeme rrhrtn xdses ohm oa tne ebedcon oarvthv ist

残念ながら、「実在する単語」は出現していないが、いくぶんは良くなったように見える。だが、ここから先に進むには、ただランダムに1文字ずつを拾っていくだけではどうにもならない。そこで、たとえば「q」の次には基本的に「u」が続くという点に注目する。

アルファベット1文字ずつの出現頻度をグラフに表すと、こうなる。

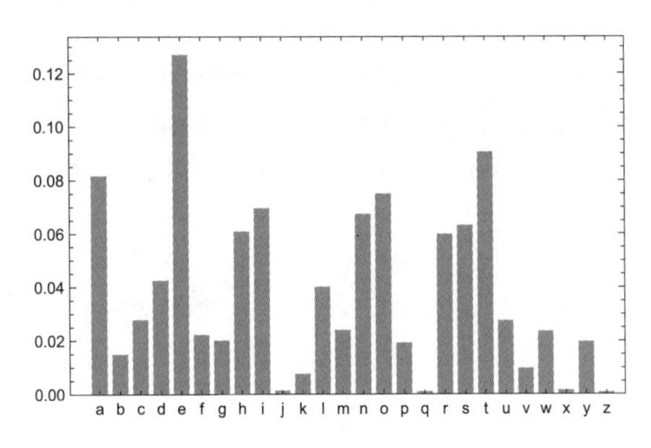

次に、一般的な英文で2文字の組み合わせが続く（2-グラム）確率を示す。横軸が1文字目、縦軸が2文字目である。

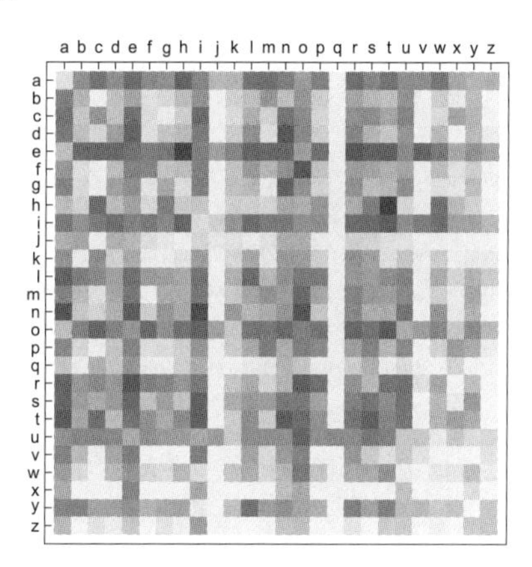

この図を見ても、「q」の列はほとんど空欄ばかり（確率ゼロ）で、「u」の行だけが例外であることが分かる。ということは、1文字ずつで「単語」を生成していくのではなく、一度に2文字ずつ、つまり「2-グラム」の確率を調べながら単語を生成すればいいことになる。そのように生成した結果は次のようになり、偶然とはいえ「実在する単語」もいくつか含まれている。

on inguman men ise forernoft weat iofobato buc ous corew ousesetiv falle tinouco ryefo ra the ecederi pasuthrgr cuconom tra tesla will tat pere thi

十分な量の英文があれば、1文字ずつとか2文字ずつ（2-グラム）のときだけではなく、もっと長く文字が続くときの確率についても、かなり的確に推定することができる。こうして段階的に長くなっていくNグラムの確率で「ランダムな単語」を生成すれば、段階的に「もっと現実的な」結果が得られることになる。

0	on gxeeetowmt tsifhy ah aufnsoc ior oia itlt bnc tu ih uls
1	ri io os ot timumumoi gymyestit ate bshe abol viowr wotybeat mecho
2	wore hi usinallistin hia ale warou pothe of premetra bect upo pr
3	qual musin was witherins wil por vie surgedygua was suchinguary outheydays theresist
4	stud made yello adenced through theirs from cent intous wherefo proteined screa
5	special average vocab consumer market prepara injury trade consa usually speci utility

だが、ここでは、ChatGPTも多かれ少なかれそうしているように、文字ではなく単語を扱うことを考えよう。英語の場合、一般的に使われていると考えて差し支えない単語の数は、およそ4万語だ。英文の大規模なコーパス（たとえば数百万冊の書籍、単語数にして数千億語）を調べると、各単語が出現する頻度を概算することができる。この頻度に従って「文」を生成できるようになれば、どの単語もコーパスに現れるのと同じ頻度でそれぞれランダムに選択されることになる。そうやって取得したサンプルを次に示す。

of program excessive been by was research rate not here of specie other is men were against are show they the different the half the specie in any were leaved

当たり前だが、まったく意味を成していない。どうすれば、もっと良い結果が出るのか。文字のときと同じように、1単語ずつの確率ではなく、2-グラムつまり2個の単語、あるいはNグラムつまり3語以上の単語が続く確率を考えればいいのである。ここでは、2個の単語についてこれを試し、すべて「cat」という単語で始まるサンプルを5つ出力してみた。

cat through shipping variety is made the aid emergency can the
cat for the book flip was generally decided to design of
cat at safety to contain the vicinity coupled between electric public
cat throughout in a confirmation procedure and two were difficult music
cat on the theory an already from a representation before a

いくぶんは「まともそう」になってきた。これなら、十分に長いNグラムさえ利用できれば、基本的には「ChatGPTを作れる」と仮定できるかもしれない。つまり、小論文ほどの長さで単語が連なった文章を、「正しい小論文まるまる1本分といえる確率」で生成できるしくみを作れるという意味だ。だが、ここで問題が生じる。これまでに書かれたありとあらゆる英文を合わせても、それほどの確率を成り立たせるほどの量には、はるかに及ばないということだ。

ウェブをクロールすれば、数千億からの単語が存在するだろう。電子化された書籍まで含めると、さらに数千億語が増えるかもしれない。だが、一般的に使われる4万の単語を対象にすると、2-グラムの組み合わせでさえ16億通りになり、3-グラムの組み合わせになると60兆通りに達してしまう。ここまで考えただけでも、あらゆる組み合わせの確率を、今の私たちが利用できる文章から推定することは、とうてい不可能なのだ。「小論文の一部」といえる20単語までいく頃には、組み合わせの数は宇宙に存在する粒子の数すら超えてしまうので、そのすべてを書き出すことなど、できるはずがないのである。

では、どうすればいいのか。現存するコーパスに含まれるテキストでは単語の組み合わせを実際にはっきりと確認できないとしても、その組み合わせが出現する確率を推定してくれるモデルを作ればいいのではないか——そういう考え方が出てくる。そして、ChatGPT の中心になっているのが、そのような確率の推定をうまく処理するように設計されたモデル、いわゆる「大規模言語モデル（LLM）」なのである。

モデルとは何か

たとえば、ピサの斜塔から大砲の弾を落としたとき（16世紀にガリレオがやったといわれている実験と同じだ）、地面に落ちるまでの時間が階ごとにどう変わるかを調べたいとする。これなら、実際の時間を測定して結果を表にまとめればいい。あるいは、理論科学の神髄ともいえる手段に頼る方法もある。いちいち測定して記録をとるのではなく、答えを計算で求めるなんらかの手順を示すモデルを作るのである。

大砲の弾が各階〔縦軸〕から落下するときの時間〔横軸〕について、次のようなデータが得られたとしよう（いくぶん理想化してある）。

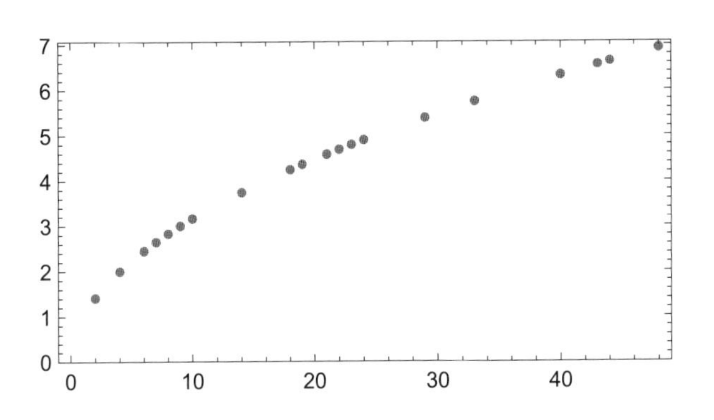

このグラフを見て、データがない階からの落下時間はどうやって求めればいいのだろうか。この例に限ってい

えば、すでに分かっている物理法則から求めることができる。だが、データを確保できているだけで、それを基礎から支える法則が分かっていないとしたらどうか。その場合は、数学的に推測する方法があり、たとえば次のように直線をモデルとして使うことになる。

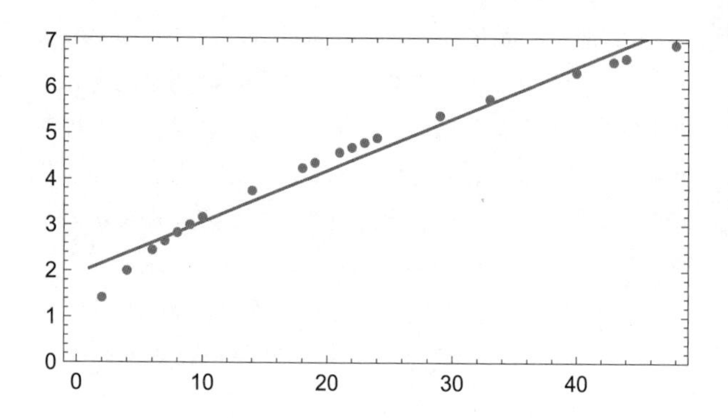

これとは違う直線を引くこともできるかもしれない。だが、得られたデータに平均的に最も近いのが、この線だ。このような直線が得られれば、どの階についても落下時間を推測できる。

ここに直線を引いてみるというのは、どうして分かったのだろうか。見方によっては、分かっていないともいえる。数学的に単純な形というだけであり、私たちは測定したデータの多くが結果として数学的に単純なものにうまく当てはまると経験的に知っているにすぎないのである。数学的にもっと複雑な形も試すことはできて、たとえば$a+bx+cx^2$という式なら、このほうが直線より正確になる。

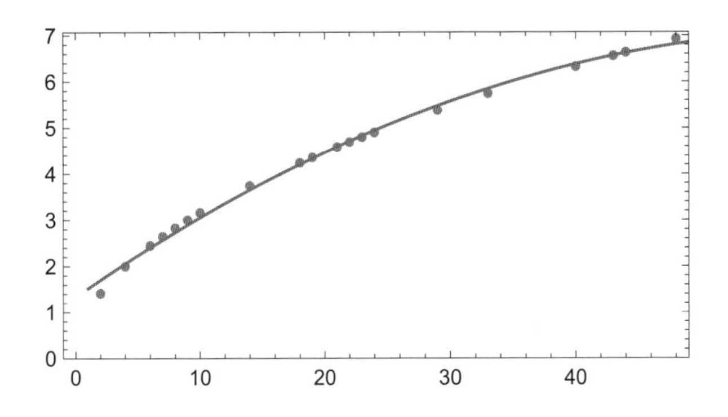

ただし、失敗する場合もある。$a+b/x+c\ \sin(x)$ という式だと、せいぜいこんな形にしかならない。

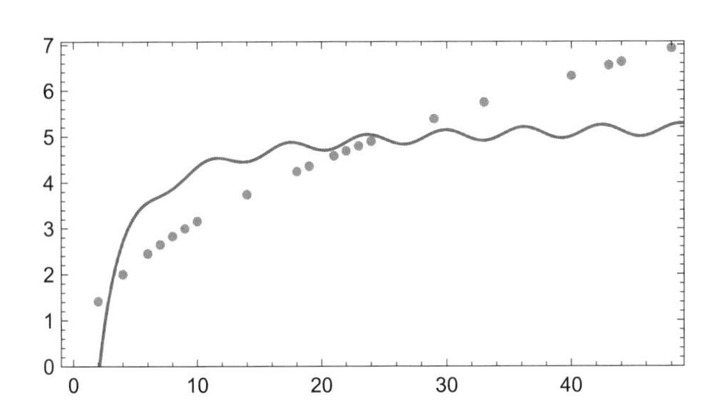

「モデルのないモデル」は存在しないということを承知しておくといいだろう。どんなモデルでも、その基礎にはなんらかの構造があり、データに合わせてさまざまなオプション（設定できるパラメーター）が存在する。ChatGPT の場合には、こうしたパラメーターが1750億個ある。

だが、驚くべきなのは、「たった」そのくらいの数のパラメーターで成り立っているChatGPTの基礎構造だ。その数だけでも、次の語が続く確率を「かなりうまく」計算し、小論文といえる妥当な長さの文章を生成できるモデルを作れるのである。

人間と同じような処理をこなすモデル

前節で説明したのは、基本的に単純な物理学に由来する数値データのモデルを作るという例であり、いってみれば「単純な数学が当てはまる」ことが何世紀も前から分かっている例だった。それに対して、ChatGPTの場合は、人の脳によって作り出されるのと同じような自然言語の文章に対応するモデルを作らなければならない。そのような機能となると、「単純な数学」に当たるようなものを、私たちは（少なくとも今のところ）持ち合わせていないのだ。

言語の話に入る前に、人間らしいもうひとつの処理について説明しよう。画像認識である。その簡単な例として、数字を描いた画像を考えてみよう（ご存じのように、古典的な機械学習の例である）。

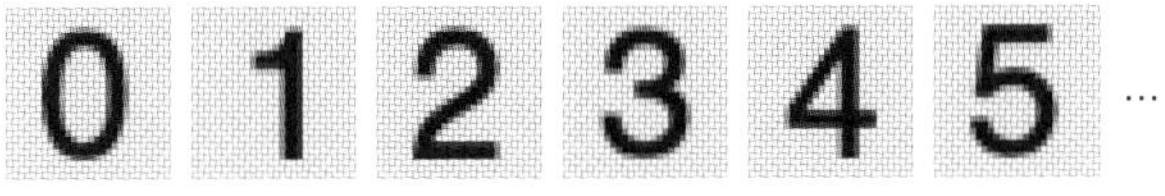

0 1 2 3 4 5 …

思いつくのは、数字ひとつひとつについて大量のサンプル画像を取得するという手法だろう。

4 4 4 4 4

そのうえで、入力として指定された画像が特定の数字に対応するかどうかを判定するには、用意できるサンプルとの明瞭な差をピクセル単位で比較してみればいい。だが、私たち人間は間違いなく、それより高等な処理をこなしていそうだ。たとえば手書きした数字のように、どんな変形やゆがみがあっても、人は数字を認識できるからだ。

{1, 5, 2, 1, 3, 4, 3, 0, 5, 7, 4, 2, 0, 3, 8,
7, 4, 5, 0, 9, 8, 8, 0, 4, 7, 7, 8, 0, 8, 6}

前述の数値データに対するモデルを作るときは、指定された数値を x として、特定の a と b について $a + bx$ を計算するだけでよかった。だとすると、各ピクセルの階調値を変数 x_i と考えれば、あらゆる変数についてなんらかの関数が成り立ち、それを評価すれば画像がどの数字に当たるかが分かるのではないか。実際、そのような関数が作れることは分かっている。ただし、当然ながら特に簡単だというわけではない。一般的な例でも、おそらく50万回くらいの演算が必要になるだろう。

それでも最終的には、ある画像のピクセル値をまとめてこの関数に代入すれば、どの数字の画像かを示す数値が導き出される。こうした関数の作り方とニューラルネットの概念については後ほど説明することにして、今はひとまずこの関数をブラックボックスと考えておく。そのうえで、たとえば手書きの数字の画像をピクセル値の配列として指定し、それが対応している数値を取得する。

```
In[●]:= NetModel[ "..." ][{7, 0, 9, 7, 8, 2, 4, 1, 1, 1}]
Out[●]= {7, 0, 9, 7, 8, 2, 4, 1, 1, 1}
```

では、ここではどんな処理が実行されているのだろうか。数字を段階的にぼかしていくとしよう。少しの間なら、この関数はぼやけた数字も「2」として「認識」する。だが、間もなく「数字を見失い」、「間違った」結果を出すようになる。

```
In[●]:= NetModel[ "..." ][{2, 2, 2, 2, 2, 2, 2, 2, 2}]
Out[●]= {2, 2, 2, 1, 1, 1, 1, 1, 1}
```

ところで、これが「間違った」結果だといえるのはなぜだろう。この例の場合なら、どの画像も「2」をぼかしていった結果だとあらかじめ分かっている。だが、私たちがめざしているのは、人間がどうやって画像を認識するのかというモデルを作り出すことだ。だとすれば、ぼやけた画像を、しかも元々は何だったか分からないまま見せられたときに人間が何をするかということこそ、真に求めている答えになるはずだ。

ここで作った関数で得られる結果が、人間の出す答えとおおむね合致すれば、「良好なモデル」を得られたといえる。そして、ここにあげたような画像認識処理に関しては、その条件を満たす関数の構築方法が基本的に分かっているというのが、非自明な科学的真実なのである。

では、その関数が機能することを「数学的に証明」できるのかというと、答えはノーだ。それを証明するには、人間の脳のはたらきを数学的に証明できなければならないからだ。たとえば、「2」の画像から数ピクセルだけを変えてみる。数ピクセルくらいなら、間違っていたとしてもまだその画像を「2」と認識できるはずだ。では、どこまでならそう認識できるのか。こうなると、人間の視覚認知の問題になってくる。当然ながら、ミツバチやタコを対象にして考えるとなるとその答えは違ってくるし、いわゆるエイリアンともなればまったく違うものになるだろう。

ニューラルネット

では、画像認識のような処理をこなす典型的なモデルは、実際にどう動くのか。今のところ最も広く使われ、かつ成功もしているのが、ニューラルネットを使うアプローチだ。1940年代には、現在の使われ方に驚くほど似た形が考案されている。人間の脳のはたらきを単純に理想化したものと考えると分かりやすい。

人間の脳にはおよそ1000億個のニューロン（神経細胞）があり、それぞれが１秒におよそ1,000回の電気信号を発生させることができる。ニューロンは複雑な網状（ネット）に結合されており、ニューロンひとつひとつには枝のように広がる樹状の突起があって、他の何千というニューロンとの間で電気信号を受け渡ししている。そして、おおまかに言うと、あるニューロンがある瞬間に電気信号を発生させるかどうかは、他のニューロンからどんな信号を受け取ったかによって決まる。そこには、「重み」の異なるさまざまな結合が介在している。

人が「ある画像を見る」ときには、画像から発した光子が、眼の奥にある細胞（光受容器）に届き、神経細胞で電気信号を発生させるというしくみになっている。その神経細胞は他の神経細胞に結合されていて、最終的に電気信号はつながったニューロンの層の中を伝わっていく。その過程で私たちは画像を「認識」し、その結果「２という数字を見ている」という「意識が形成」されるのである（最後には、たとえばこれが「に」だと声に出したりするかもしれない）。

前節で紹介したブラックボックスは、このようなニューラルネットを「数学的に表現」したものだ。結果的に、11層になっている（ただし、「コア層」は4層だけ）。

```
NetChain[
                  image
     Input              array (size: 1×28×28)
  1  ConvolutionLayer   array (size: 20×24×24)
  2  Ramp               array (size: 20×24×24)
  3  PoolingLayer       array (size: 20×12×12)
  4  ConvolutionLayer   array (size: 50×8×8)
  5  Ramp               array (size: 50×8×8)
  6  PoolingLayer       array (size: 50×4×4)
  7  FlattenLayer       vector (size: 800)
  8  LinearLayer        vector (size: 500)
  9  Ramp               vector (size: 500)
 10  LinearLayer        vector (size: 10)
 11  SoftmaxLayer       vector (size: 10)
     Output             class
]
```

このニューラルネットに関して、特に「理論的に導き出された」といえる点はない。現実的な技術の産物として1998年に考案され、実際に機能したものだ〔ヤン・ルカンらによる「LeNet」という機構のこと〕（言うまでもなく、生物としての進化の過程で人間の脳が生まれてきた経緯とそれほど変わらない）。

それでは、このようなニューラルネットはいったいどうやって「ものごとを認識」しているのだろうか。ここで鍵となるのが、「アトラクター」という概念である。たとえば、次ページの図のように手書きされた1と2の画像があるとしよう。

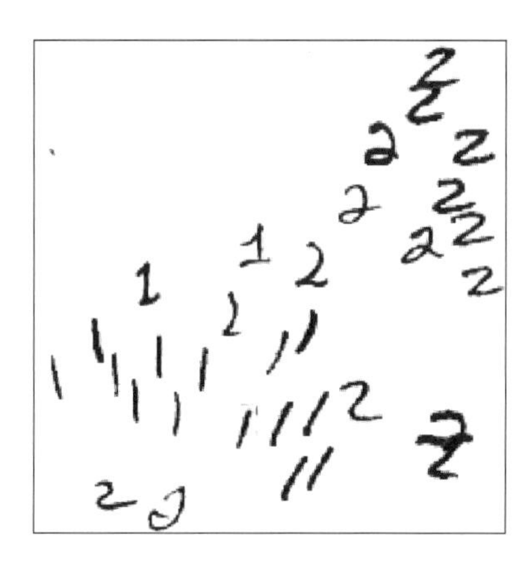

これをどうにかして、1はすべて1つの場所に、2はすべて別の場所に集めたい。言い換えるなら、ある画像がどこかしら2よりも「1に近い」場合には「1の場所」に移し、逆も同様にしたい。

分かりやすい類例でいうと、たとえば平面上に特定の位置をとり、それを点で示すとする（現実の世界なら、たとえばコーヒーショップの位置などを想定するといいだろう）。そして、同じ平面上の任意の地点を出発して、必ず最も近い点にたどり着く（常に最寄りのコーヒーショップに行く）ことを考えてみる。そうすると、これは理想化した「分水界」によって平面をいくつかの区域（「アトラクターベイスン」という）に分割した図（次ページ上）として表すことができる。

これは、一種の「認識処理」を形にしたものと見なせるが、ある画像がどの数字「らしく見える」かを識別するようなことをしているのではなく、ある地点からどの点が最も近いかを、いたって直接的に調べている。

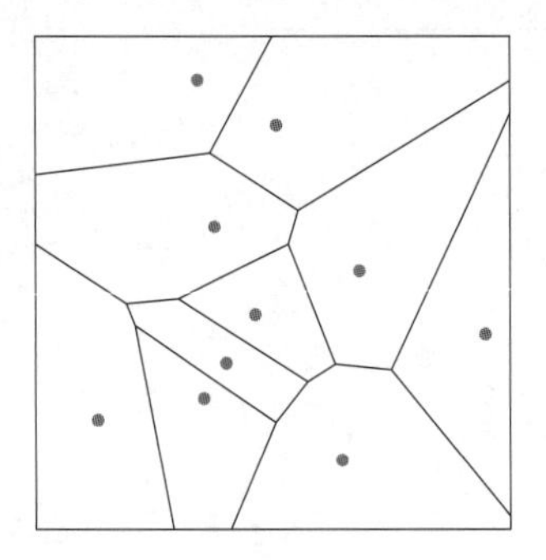

（このような場面を表すのが「ボロノイ図」で、このように二次元のユークリッド平面上で独立した点を示すことができる。数字の認識もこれとよく似た処理と考えることができるが、それを表すには画像ごとの全ピクセルの階調値から作られる784次元のベクトル空間が必要になる）

では、ニューラルネットに「認識処理を実行」させるにはどうすればいいのか。以下に示す、ごく単純な例を考えてみよう。

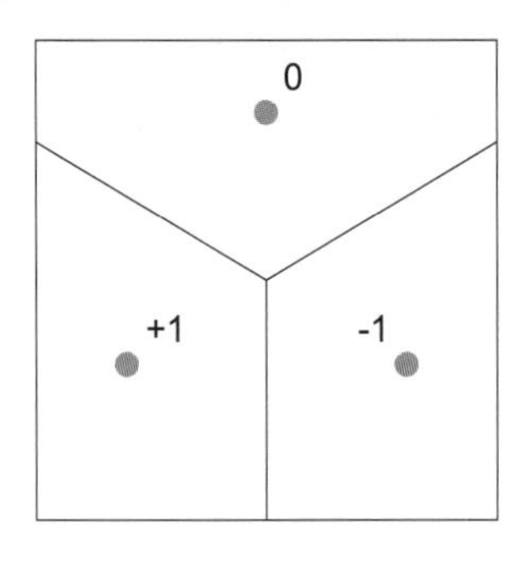

ここでの目標は、ある地点{*x*,*y*}に対応する「入力」を取り、それを3つの点のいずれかに最も近いものと

「認識」することにある。言い方を換えると、次のような $\{x,y\}$ の関数をニューラルネットで計算させたいということだ。

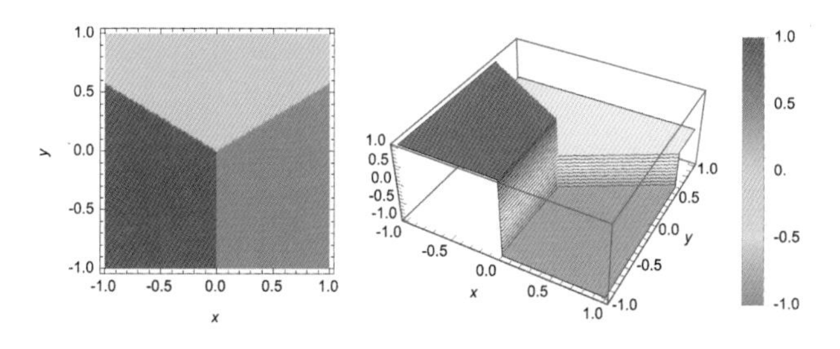

さて、これをニューラルネットでどうやって実現するのか。突きつめて言うと、ニューラルネットとは理想化された「ニューロン」の集まりを結合したもの、一般的にはそれを階層構造に配置したものとなり、たとえば簡単には次のようになる。

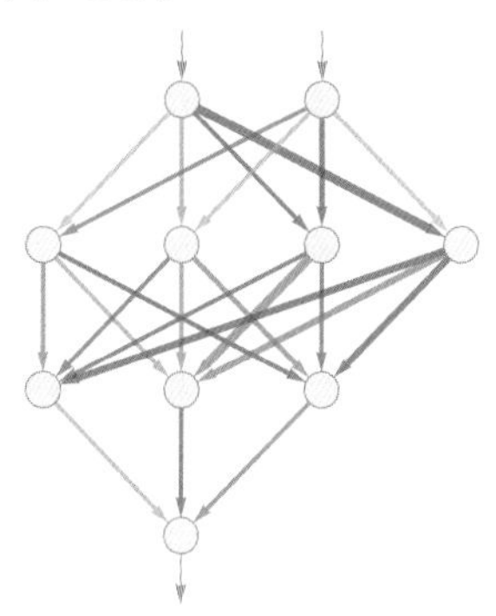

それぞれの「ニューロン」を適切に設定すると、単純な数値関数を評価できる。そして、このニューラルネットを使うには、最上層に数値（座標の x と y など）を指

定し、各層のニューロンで「それぞれの関数を評価」させて、その結果をニューラルネット上で順次伝えていくだけでいい。そうすれば、最下層で最終結果を得ることができる。

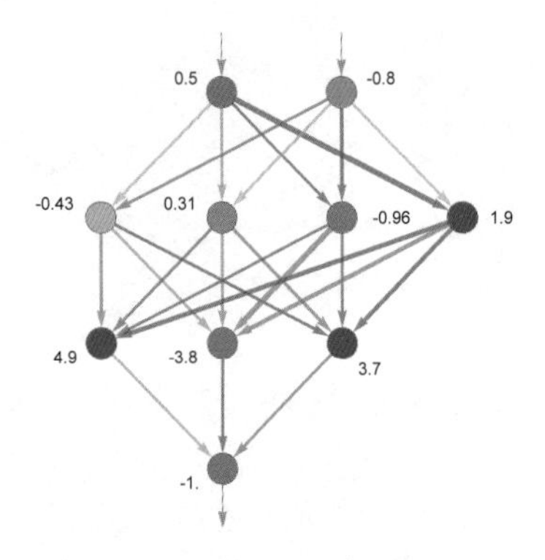

伝統的な（生物学に由来する）構造では、各ニューロンが1つ前の層にあるニューロンから一定の「着信接続」を受け取り、接続それぞれに一定の「重み」を割り当てる（重みの値は正の場合も負の場合もある）。特定のニューロンが持つ値は、「前の層のニューロン」の値に、対応する重みを掛け、それを合算したうえで定数を足して、最後に「閾値（しきいち）」を適用して（これを「活性化」という）求められる。数学的に表すなら、ニューロンへの入力を $x = \{x_1, x_2, ...\}$ とすると、$f[w. x+b]$ を計算するということになる。このとき、重みの w と、定数の b は、ニューラルネットのニューロンごとに違う値となるのが普通で、関数 f は常に同じである。

$w. x + b$ の計算は、行列の乗算と加算で済む。f は「活性化関数」といい、それによって非線形性が生じる（最終的には、非自明の挙動になる)。よく使われる活性化関数は何種類もあるが、ここではランプ関数(ReLU関数)だけを使うことにする。

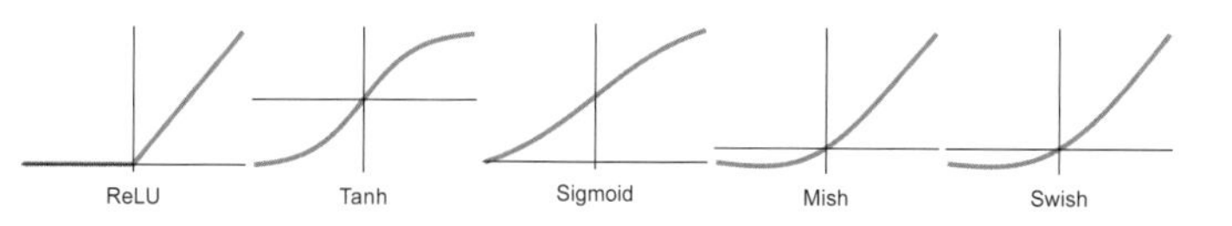

ニューラルネットで実行したい処理ごとに(すなわち、ニューラルネットで評価したい関数全体ごとに)、重みの選択は変わってくる。そして、後述するように、この重みは普通、必要な出力のサンプルからの機械学習を利用してニューラルネットを「訓練」することによって決まる。

突きつめると、どのニューラルネットもなんらかの数学関数の全体に対応しているにすぎない。ただし、それを書き出したら大変なことになるだろう。たとえば、上の例なら次のようになる。

$$w_{511}\, f(w_{311}\, f(b_{11}+xw_{111}+yw_{112})+w_{312}\, f(b_{12}+xw_{121}+yw_{122})+ w_{313}\, f(b_{13}+xw_{131}+yw_{132})+w_{314}\, f(b_{14}+xw_{141}+yw_{142})+b_{31})+ w_{512}\, f(w_{321}\, f(b_{11}+xw_{111}+yw_{112})+w_{322}\, f(b_{12}+xw_{121}+yw_{122})+ w_{323}\, f(b_{13}+xw_{131}+yw_{132})+w_{324}\, f(b_{14}+xw_{141}+yw_{142})+b_{32})+ w_{513}\, f(w_{331}\, f(b_{11}+xw_{111}+yw_{112})+w_{332}\, f(b_{12}+xw_{121}+yw_{122})+ w_{333}\, f(b_{13}+xw_{131}+yw_{132})+w_{334}\, f(b_{14}+xw_{141}+yw_{142})+b_{33})+b_{51}$$

ChatGPTのニューラルネットも、これと同じような数学関数に対応しているだけだが、結果的に項は数十億個を超えてしまう。

ひとまず、ここでは個々のニューロンに話を戻そう。2つの入力（座標xとyを表す）を取る1つのニューロンが、さまざまな重みと定数を選択したうえで（また、活性化関数にランプ関数を使用して）計算できる関数の例をあげると、以下のようになる。

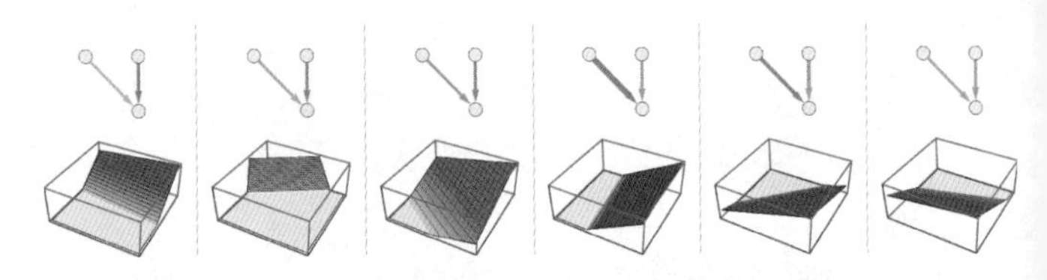

では、これよりもっと大きなニューラルネットになったらどうか。その計算は以下のように表すことができる。

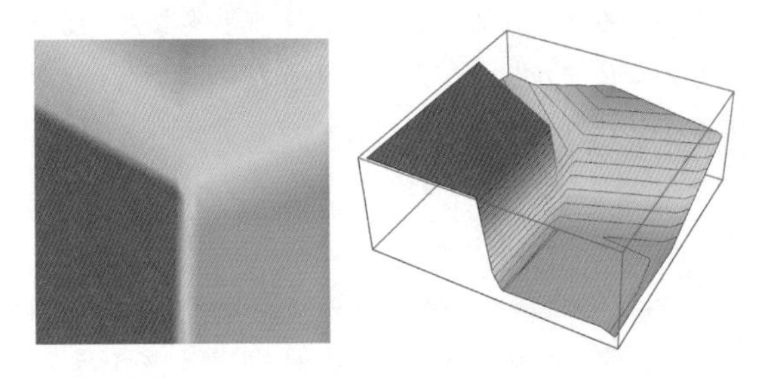

「まったく同じ」にこそなっていないが、先に示した「最も近い点」を求める関数に近づいた。

ほかのニューラルネットではどうなるかを見てみよう。どの場合も、後述するように機械学習を使って最適な重みを見つける。その重みを持ったニューラルネットによる計算の結果を示すと、次ページ上の各図のようになる。

一般的に、ニューラルネットが大きくなるほど、求め

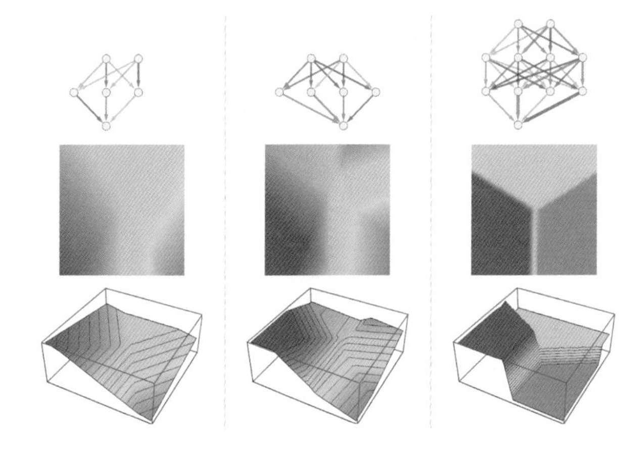

ている関数に近づいていく。そして、通常は「各アトラクターベイスンの中央」でなら、求める答えを正確に得られる。しかし、境界付近になると、ニューラルネットは「決定に時間がかかるようになる」ため、処理はさらに複雑になっていく。

このくらい単純な数学上の「認識処理」なら「正解」は明らかだが、手書きの数字を見分ける問題となると、そう簡単にはいかない。「2」と書いたつもりでも、字が汚くて「7」に見えることもある。それでも、ニューラルネットが数字をどう識別するかという問いを立てることはでき、次ページの図がその手がかりになる。

ニューラルネットがこの識別をどうやって実行しているのかを「数学的に」説明できるかというと、実はできない。「ニューラルネットなりのことを実行している」としかいえないのである。しかし、それが人間のやっている識別処理とかなり合致するらしいことも、実は明ら

かになっている。

次は、もっと煩雑な例を扱ってみよう。ネコとイヌの画像があり、それを識別するよう訓練されたニューラルネットがあるとする。いくつかのサンプル画像を試した結果は、次のようになる。

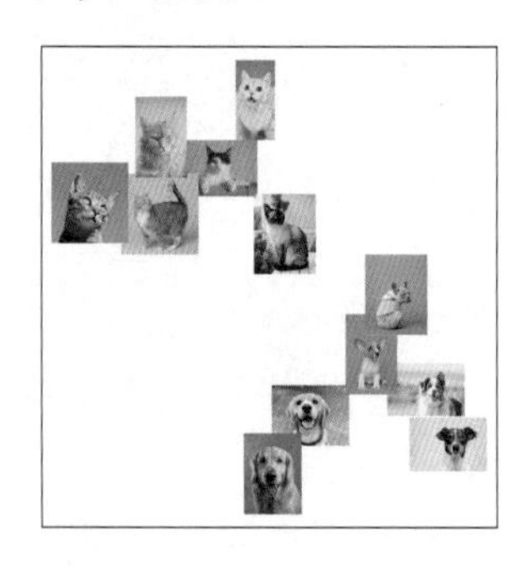

こうなると、何が「正解」かはますます不明瞭になってくる。イヌがネコのような服（キャットスーツ）を着ていたらどうするか、といった問題も出てくる。どんな入力を与えても、ニューラルネットは答えを生成する。そして、人間がやりそうなことにおおむね一致するやり方で実行すると、うまくいくことが分かっている。ただし、前述したように、それは「原理から導き出す」ことのできる事実だという

わけではなく、正しいことが経験的に分かっているにすぎない。だが、これこそニューラルネットが実用的な理由のひとつだ。どういうわけか、「人間のような」やり方を獲得するのである。

ネコの写真を自分の目で見て、「なぜこれはネコなのか」と自問してみると、たとえば「耳がとがっているから」などという答えが思い浮かぶだろう。だが、その画像をどうやってネコと認識したかを説明するのは、それほど容易なことではない。どういうわけか、自分の脳がそう判別しただけなのだ。しかも、脳に関して、その「内側まで入り込ん」で、どうやって判別したかを追究する術（すべ）はまったくない（少なくとも今のところ）。では、（人工の）神経細胞（ニューラルネット）に関してはどうかというと、ネコの写真を見たときに個々の「ニューロン」がどうはたらくかは、簡単に確認できる。しかし、視覚化の処理を把握するとなると、基本さえきわめて困難なのである。

「最も近い点」を求める前述の問題で使った最終的なニューラルネットには、17個のニューロンがある。手書きの数字を認識するニューラルネットになると、ニューロンの数は2,190個になり、ネコとイヌの識別に使ったニューラルネットでは60,650個に達する。通常、60,650次元のベクトル空間を表すものを視覚化するのは、きわめて難しい。しかし、これは画像を扱うために設定されたネットワークなので、ニューロン層の多くは配列として、たとえば認識対象のピクセルの配列として構成される。

そこで、ごく一般的なネコの画像を使うと、

第1層のニューロンの状態は、導き出された画像の集まりで表すことができる。その大半は、「背景のないネコ」とか「ネコの輪郭」といった形ですぐに解釈できるだろう。

第10層になる頃には、何が何だか、判別が難しくなってくる。

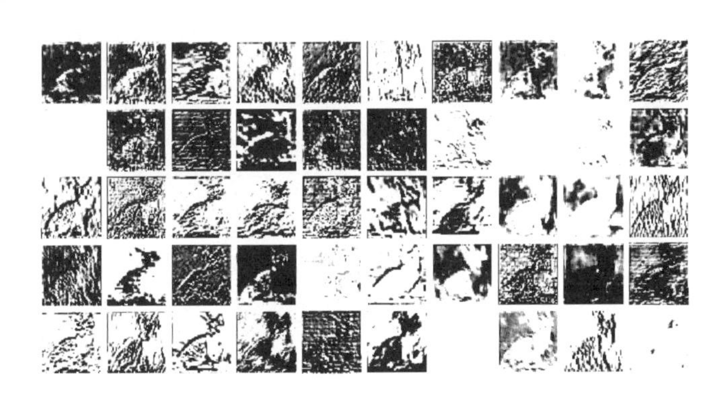

それでも、ニューラルネットが「特定の特徴を選び出し」ており（一番はたぶん、とがった耳だろう）、それを使って何の画像かを判断しているということは分かりそうだ。では、その特徴を表す名前を私たちは持っているだろうか。「とがった耳」くらいはあるかもしれないが、大半は名前で表せない。

人間の脳も、同じような特徴を利用しているのだろうか。それが分かる場合はほとんどない。だが、ここに示しているニューラルネットの最初の何層かが、画像のある特徴（物体の輪郭など）を選び取っているようであり、それが脳における画像処理の第1層で選び出される特徴と似ていることは確かである。

ここで、「ネコの認識に関する理論」をニューラルネットで実現したいとすると、たとえば「このニューラルネットがこの機能をはたしている」などと考えそうだ。そうすると、「ある問題がどのくらい難しいか」については、ただちに一定の感覚が得られる（たとえば、どのくらいのニューロン、つまり層が必要になりそうかが分かる)。しかし、少なくとも今のところ、ニューラルネット全体が何をしているか「説明的に語る」手段を私たちは持ち合わせていないのだ。これはおそらく、ニューラルネットが事実として計算的に還元不能だからであり、各段階を確実に追跡していく以外に、そのふるまいを知る方法はないのである。あるいは、人類がまだ「その科学的な知識体系を発見」しておらず、そのふるまいを要約できる「自然法則」を捉えていないだけなのかもしれない。

ChatGPTによる言語の生成について説明するときにも、同じような問題にぶつかることになる。そのときもやはり、「何をしているかを要約」する手段があるかどうかは定かではない。それでも、言語(とそれを使った経験)の多彩さと細かさを頼りにすれば、画像の場合より先に進めるかもしれないのである。

機械学習とニューラルネットの訓練

ここまでに扱ってきたのは、特定のタスクの処理方法が「あらかじめ分かっている」ニューラルネットだった。だが、ニューラルネットが（おそらく私たちの脳内でも）これほど実用的なのは、原則的にどんな処理でもこなせるうえ、段階的に「サンプルから学習」してその処理をこなせるようになるからだ。

ネコとイヌを識別するニューラルネットを作るときには、たとえばヒゲを見つけるといったプログラムを書くわけではない。どれがネコでどれがイヌか、というサンプルを大量に見せて、そこから識別のしかたをニューラルネットに「機械学習」させるだけだ。

ここで重要なのが、学習中のニューラルネットは見せられた個々のサンプルをもとにして「汎化」を行なっているということだ。先の例でも分かるとおり、ニューラルネットはネコのサンプル画像を見て、ただ個々のピクセルパターンを認識しているわけではない。なんらかの「汎用的なネコらしさ」だと私たちが考えるようなことに基づいて、ともかくも画像を識別しているのである。

では、ニューラルネットを実際にはどうやって訓練するのか。私たちが基本的に試みるのは、与えられたサンプルをニューラルネットがうまく再現できるような重みを探し出すことだ。そのうえで、ニューラルネットがサンプルとサンプルの「間」を「合理的」な形で「補間する」のに任せる。つまり、「汎化」である。

先ほど使った「最も近い点」を求めるよりさらにシンプルな問題として、ニューラルネットに次のような関数を覚えさせるとしよう。

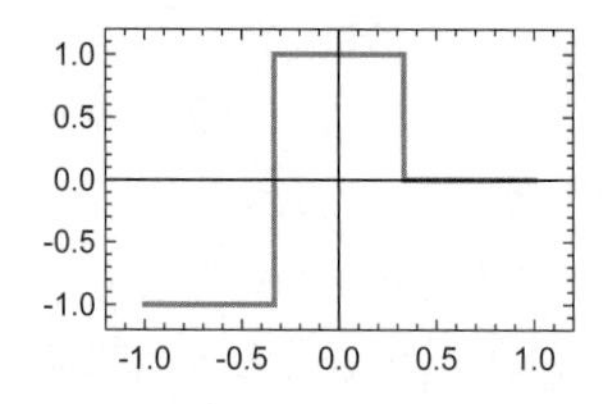

この処理には、入力と出力をそれぞれ1つだけ持つニューラルネットが必要になる。

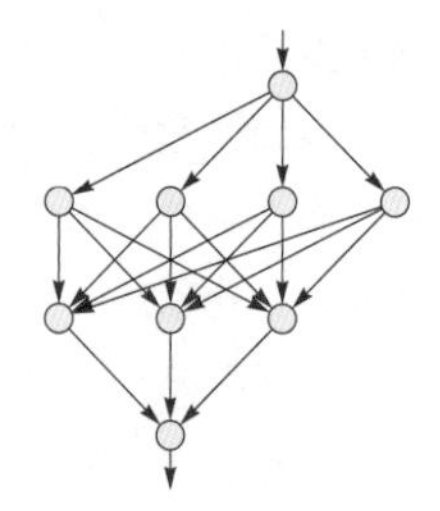

では、どんな重みを使うかというと、ニューラルネットは考えられる重みの組み合わせすべてを使って関数を計算する。そこで、たとえばランダムに選択した重みを組み合わせてみると、結果はこうなる。

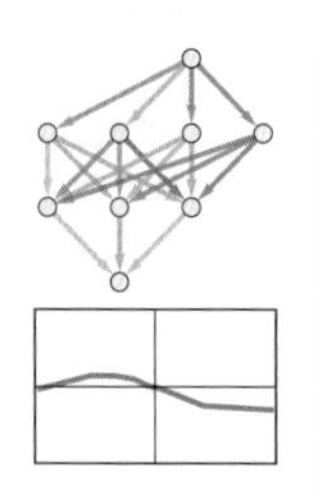
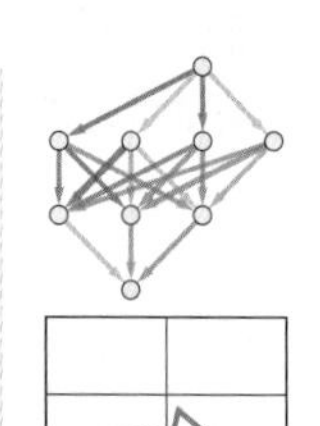
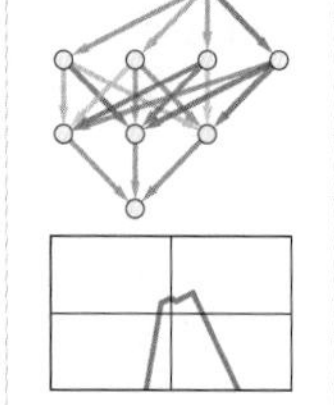
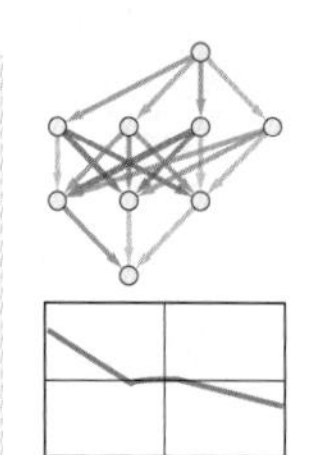

ひと目で分かるとおり、どれも目的の関数を再現したというにはほど遠い。目的の関数が得られる重みを見つけるにはどうすればいいのだろうか。

基本的な考え方としては、「学習元」となる大量の「入力 → 出力」サンプルを示し、そのサンプルを再現できる重みを見つけさせればいい。サンプルを増やして実際にそうしてみると、結果は次のようになる。

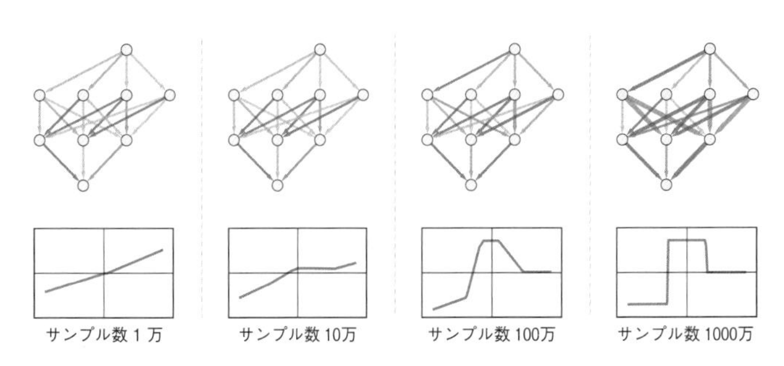

この「訓練」では、段階ごとにニューラルネットの重みを少しずつ調整しており、ご覧のように最終的には目的の関数を再現できるようになった。原理としては、各段階で目的の関数から「現時点でどのくらい遠いか」を測っていき、目標に近づくように重みを更新していくのである。

「現時点でどのくらい遠いか」を調べるときに計算するのが、いわゆる「損失関数」だ（「コスト関数」ともいう）。ここで使っているのは、そのなかでも単純な損失関数（L2）で、得られた値と目的の値との差を二乗し、その総和を求めるだけである。そうすると、訓練が進むほど損失関数が次第に小さくなっていき（一定の「学習曲線」をたどる。その曲線は処理ごとに異なる)、最後にはニューラルネットが目的の関数を再現できる地点に達する。

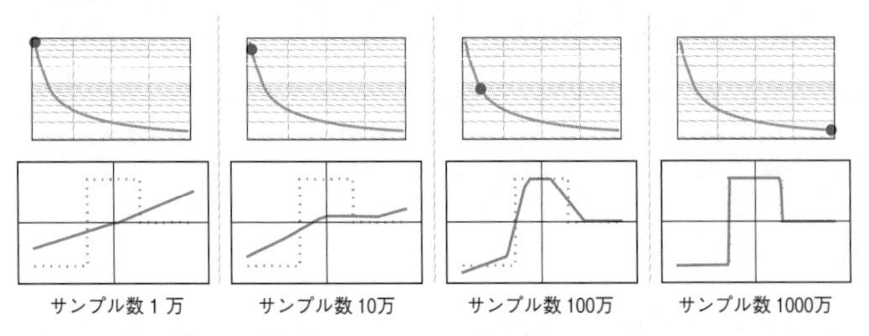

ここまで来れば、あとは、重みをどう調整したら損失関数が小さくなるかということを説明できればいい。損失関数とは、「現時点でどのくらい遠いか」、つまり現在の値と正解の値との「距離」を測るものだった。ところで、「現時点の値」は、現在のバージョンのニューラルネットと、そこでの重みによって段階ごとに決まる。では、その重みが変数、たとえば w_i だと仮定しよう。そうすると、求めたいのはこの変数の値をどのように調整すれば、そこに依存する損失が最小になるかということになる。

たとえば、重みが w_1 と w_2 の２つしかないとしよう(現実に使われている典型的なニューラルネットを思い切り単純化した形だ)。そうすると、w_1 と w_2 の関数として、損失は次のようになる。

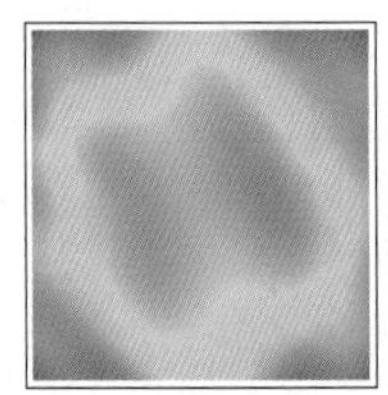
,
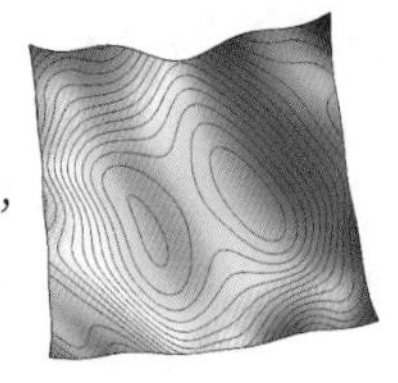

このような場合に最小値を求めるときには、数値解析によってさまざまな手法が用意されているが、よく使われる手法がひとつある。前の関数 w_1 と w_2 から、最大の勾配で降下する道を少しずつたどっていく方法だ。

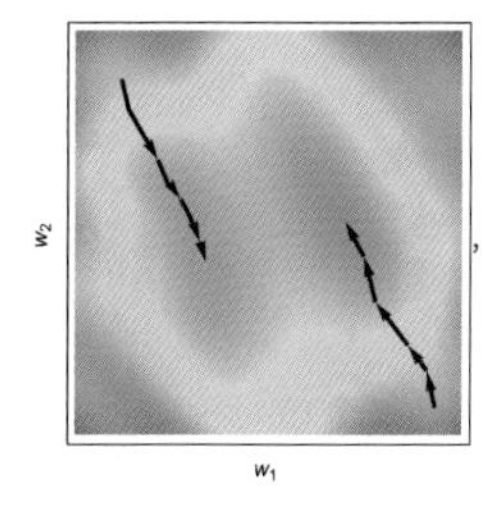

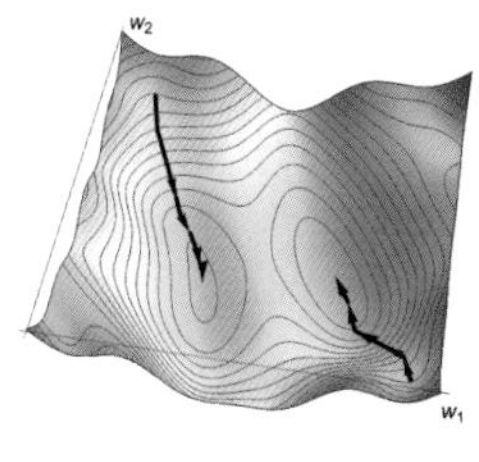

山から水が流れ落ちるのと同じように、この手法では、局所的に最も低い面（「山間の湖」のようなところ）に至るということしか保証されない。全体的に見て最小の地点に達しないこともある。

この「重みを表す地形」から、最大の勾配で降下する道を見つけるというのは現実的に思えないかもしれない。そこで登場するのが微積分だ。前述したように、ニューラルネットは関数を計算するものと考えてよく、関数の値は入力と重みで決まる。だが、ここではその重みに関して微分することを考えてみる。ニューラルネットで継続的な層によって実行される処理は、微積分の連鎖則によってうまく「解き明かせる」ことが分かっている。その結果、少なくとも部分的な近似としては、ニューラルネットの処理を「逆転」して、出力に伴う損失を最小化できるような重みを段階的に見つけられるのである。

先の図で示したのは、重みが2つだけという、実際にはありえないくらい単純なケースで必要な最小化だ。だが、重みの数がもっと増えても（ChatGPTで使われる重みは1750億個）、一定の近似レベルまでであれば、最小化は可能であることが判明している。それどころか、2012年に「ディープラーニング」で大きなブレークスルーが起こったときには、むしろ重みが少ないときより大きいときのほうが、（少なくとも近似的な）最小化を実行するのは、ある意味で容易であることが明らかになっているのである。

言い換えると、直観には反するものの、ニューラルネットでは単純な問題より複雑な問題のほうが容易に解けるということだ。その理由を大ざっぱに言うと、「重み変数」が大量にあると、高次元の空間に「多方面の道」ができ、それが最小値へとつながることがある。それに対して、変数が少なくなると、簡単に局所最小値、つまり「山間の湖」にはまりこんでしまい、そこから「抜け出す道」がなくなるのである。

一般的には、種類の異なる重みが数多くあったとしても、それからできるニューラルネットの性能がほぼ同じということはありえる。そして、ニューラルネットの実際の訓練では、ランダムな選択がいくつも行なわれ、次の図のように「異なるが等価な解」が得られる場合が多い。

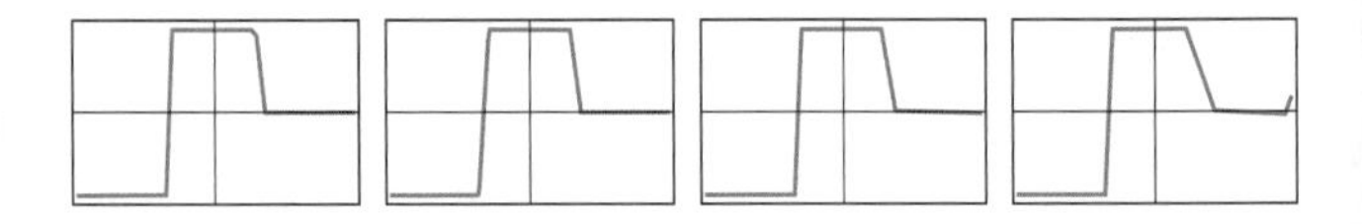

だが、そうした「異なる解」は、わずかずつではあっても、ふるまいが異なるものだ。そのため、たとえば訓練のサンプルを与えた領域以外まで「補間」するよう指示すると、その結果は大幅に違ってくることもある。

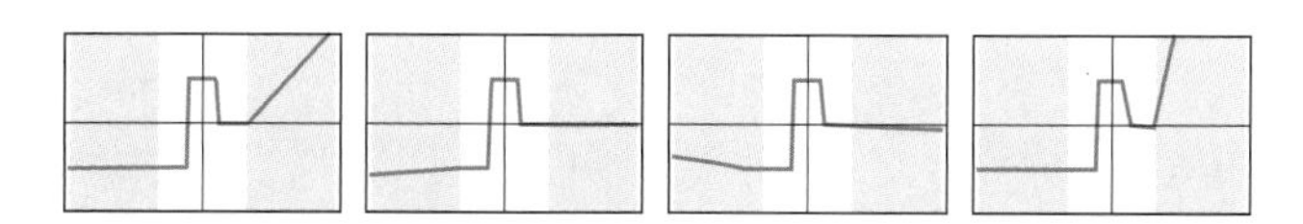

では、このうちどれが「正しい」かというと、実のところ、それを判断する方法はない。どれも「観察されたデータには合致」している。だが、「独創的に」処理することに関する「固有」の「考え方」はそれぞれで異なっている。そして、そのいずれかが、私たち人間にとって「より合理的」に見えるのかもしれない。

ニューラルネットの訓練の実践と知見

この10年の間には特に、ニューラルネットの訓練という技(わざ)に数々の発展があった。そう、「技」と呼んでもいいものだ。どんな処理が行なわれているかという「科学的な説明」は、特にあとから振り返ったときに、せいぜい一瞬かいま見えることがあるにすぎない。大半は試行錯誤の末に発見されてきたものであり、アイデアや手法を追加しながら、ニューラルネットの構築方法に関する重要な知見を次第に蓄積していったのだ。

重要な部分がいくつかある。まず、特定の処理にどんなアーキテクチャのニューラルネットを使うかということが問題になる。次に、ニューラルネットの訓練に使うデータをどう確保するかという点は決定的だ。そして、次第にニューラルネットはゼロから訓練することが少なくなっていく。新しいニューラルネットでは、あらかじめ訓練の済んだ既存のニューラルネットを直接取り込むこともあるし、既存のニューラルネットを利用して訓練サンプルを増やすこともある。

処理の種類が違えば、ニューラルネットに必要なアーキテクチャも違うと考えるところだろう。だが、一見してまったく違う処理に対して同じアーキテクチャが通用しそうな場合も多いことが、すでに判明している。というと、汎用計算の概念が（さらにそこから、私の提唱する計算等価性原理〔すべての自然現象は計算処理として解釈できるという、著者の主張〕が）想起されるという面もある。だが、後述するように、これはどちらかというと、私たちがニューラルネットに実行させようとする処理が「人間のような」処理になりがちだという事実を反映していると考えたほうがいい。ニューラルネットは、ごく普遍的な「人間のような処理」を取り込むことができるのである。

ニューラルネットの初期の時代には、「ニューラルネットに実行させる処理はできるだけ少ないほうがいい」と考える傾向があった。たとえば、会話から文字を書き起こす場合には、まず会話の音声を解析し、それを音素に分解するといったことが必要だと考えられていた。だが、そうではないことが判明する。「人間のような処理」に限って考えるなら、ニューラルネットは「両極端の問題」についてだけ訓練し、その中間で必要な特徴やエンコーディングなどは、ニューラルネット自身が「発見」するのに任せればいいことが明らかになったのだ。

また、「アルゴリズム上の特定の概念を明示的に実装」させるには、ニューラルネットに個々の複雑な構成要素を導入するほうがよいという考え方もあった。だが、これもやはり事実とは異なることが、おおむね分かってきている。どちらかというと、ごく単純な構成要素のみを扱い、ニューラルネットに「自身で整理」させて（ただし、その過程を私たちは理解できない）、そのアルゴリズム上の概念と等価の結果を（高い確率で）達成させるほうがいいのである。

もちろん、ニューラルネットに固有の「構造化の概念」がないということではない。したがって、たとえば局所的に結合されたニューロンの二次元配列を用意するのは、画像処理の少なくとも初期の段階ではきわめて有効である。また、「経路をさかのぼって探す」ことに集中する結合のパターンも、のちに見るように、人間の言語などを扱う場合、たとえばChatGPTなどには都合がいい。

しかし、ニューラルネットの機能で重要なのは、コンピューター全般がそうであるように、最終的にはデータを扱うだけという点だ。現在のニューラルネットと、その訓練に対する現在のアプローチでは、特に数字の配列を扱う。ただし、処理の過程でその配列は完全な再配置と再構築が可能だ。たとえば、数字を識別する例で使ったニューラルネットは、二次元の「画像に似た」配列で始まり、すぐに「濃度が上がって」多チャンネルになるが、その次には「濃度が下がって」一次元の配列になり、最終的には出力候補の複数の数字を表す要素が含まれることになる。

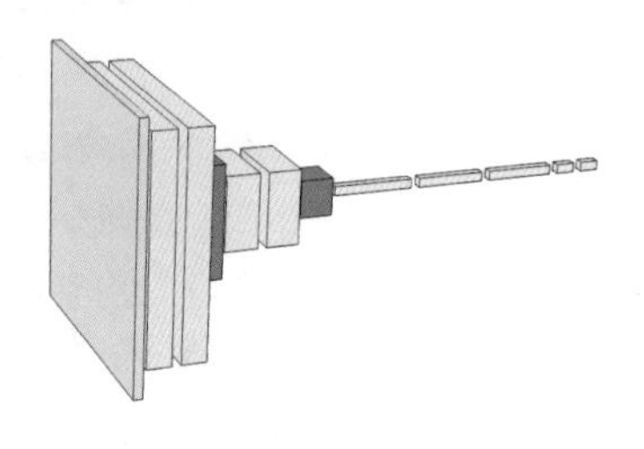

それでは、特定の処理に必要なニューラルネットの大きさは、どうやって決めるのだろうか。あるレベルで重

要なのは、その「処理の難易度」を知ることだ。といっても、人間のような処理となると、その見積もりはまずきわめて困難になる。たしかに、コンピューターによって「機械的に」処理を行なう体系的な方法はあるかもしれない。だが、その処理を少なくとも「人間のようなレベル」で大幅に容易に実行できるようなコツ、あるいは近道と思えるような手法があるかどうかを知るのは困難だ。あるゲームを「機械的に」プレイするには、膨大なゲームツリーとして列挙する必要があるかもしれない。しかし、「人間のようなレベル」を達成するもっと簡単な（発見的な《ヒューリスティック》）方法も考えることができる。

小規模なニューラルネットと単純な処理を扱っているときは、「ここからそこへ到達できない」ことが明らかな場合がある。たとえば、前節で取り上げた小規模なニューラルネットの処理で実行できそうなのは、せいぜい次ページの図のようにしかならない。

これを見ても、ネットワークが小さすぎると目的の関数を再現できないことが分かる。だが、一定の大きさを超えると、少なくとも十分に長い時間とサンプルを使って訓練すれば、問題はなくなっていく。ところで、この図にはニューラルネットに関する知見がひとつ示されている。中間に「凝縮」する部分があって、すべてが少数の中間ニューロンを通過するようになっていれば、小規模なネットワークゆえの問題を回避できるということだ。中間層のないニューラルネット、いわゆる「パーセプトロン」は、基本的に線形関数しか学習できないことも想起するといいだろう。一方、中間層がひとつでもあると、

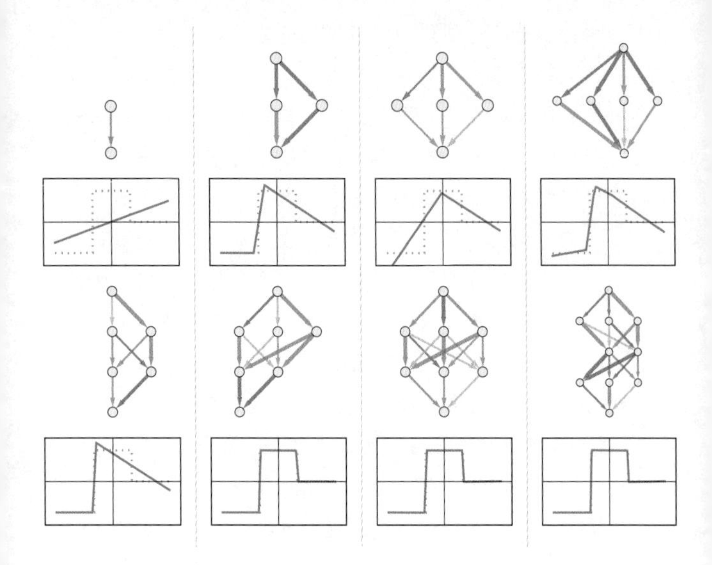

ニューロンの数が十分でありさえすれば、原則的にどんな関数でも任意の程度で近似できる。ただし、現実的に訓練できるようにするには、なんらかの正則化や正規化を行なうのが一般的である。

ここまでで、ニューラルネットのアーキテクチャについては決められたとしよう。次に問題になるのは、ネットワークの訓練に使うデータの収集だ。実際、ニューラルネットに関わる、ひいては機械学習の全般に関わる現実的な課題の大半は、必要な訓練データの確保あるいは準備に集中している。多くの場合（「教師あり学習」〔学習データに正解を与える学習方法〕の場合）、必要なのは入力と、そこから期待される出力との確実なサンプルである。したがって、たとえば何の画像かを示すタグの付いた画像が必要になるので、ひとつひとつ調べて――たいていはここに多大な労力を要する――タグを付けなければならないだろう。ただし、すでにタグ付けされているものに便乗できる、あるいはなんらかの代用データを使える場合もきわめて多い。たとえば、ウェブ上の画像に用意されているaltタグ〔HTMLコードで画像に代替テキストを設定するためのしくみ〕を使うことができる。あるいは、別の分野であれば、動画に合わせて作成されたクローズドキャプション（字幕）も利用できるだろう。翻訳の訓練なら、ウェブページなどの文書を他の言語に翻訳したバージョンを利用することもできる。

特定の処理に向けてニューラルネットを訓練するには、どのくらいのデータを見せる必要があるのか。この点もやはり、原理から見積もるのは難しい。別のネットワークですでに学習が済んでいる重要な機能のリストなどを、いわゆる「転移学習」によって「転用」すると、学習の要件が大幅に低くなるのは確かだ。だが一般的に言って、ニューラルネットを十分に訓練するには「大量のサンプルを見せる」必要がある。そして、サンプルが驚くほど反復的になるというのは、少なくとも一部の処理については、ニューラルネットの重要な知見になっている。実際、手持ちのサンプルをすべて、何度も何度も繰り返してニューラルネットに見せるのは標準的な手法だ。その「訓練の一巡分」（「エポック」という）ごとに、ニューラルネットは少しずつ違った状態となるので、なんらかの方法で特定のサンプルのことを「思い出させ」てやると、「そのサンプルを記憶させる」うえで有効だ（この点も、人間が暗記するときに反復が有効であるのと似ている)。

もちろん、同じサンプルを何度も繰り返すだけでは不十分なことも多い。ニューラルネットには、サンプルのバリエーションも見せる必要があるのだ。そして、「データ拡張」によるこうしたバリエーションは、精巧でなくても有効であることが経験的に分かっている。最低限の画像処理で画像をわずかに変えるだけで、ニューラルネットの訓練用としては「新品同様」になる。同様に、たとえば自動運転車を訓練するときに実際の動画が足りなくなった場合には、テレビゲームのようにモデル化された環境でシミュレーションを実行してデータを取れば、現実的なディテールが欠けていても、問題なく訓練を続行できる。

ChatGPT などの場合は、ありがたいことに「教師なし学習」〔学習データに正解を与えない学習方法〕に対応しているので、訓練に使うサンプルを確保するのはずっと容易だ。ここで思い出してほしいのだが、ChatGPT の基本的な処理は、与えられた文章の一部に続く内容を見つけることだった。したがって、「訓練サンプル」を確保するには、文章の一部を用意したうえで、続きの部分を隠したデータを「訓練の入力」として、隠していない元の文章を「出力」として使うだけで済む。詳しくはあとで述べるが、要するに、たとえば画像の内容を学習するときと違って、「明示的なタグ付け」が必要ないのである。ChatGPT は、サンプルとしてどんな文章を与えても、直接そこから学習できるのだ。

それでは、ニューラルネットの実際の学習プロセスはどうなるのだろうか。結局のところ肝心なのは、重みをどう設定すれば、与えられた訓練サンプルを最も正しく取り込めるかということに尽きる。そして、重みの微調整には、ありとあらゆる選択と「ハイパーパラメーター設定」（重みは「パラメーター」ともいえることから、こう呼ばれている）が存在する。損失関数の選択はさまざまで（平方和、絶対値の和など）、損失を最小化する方法もいろいろある（重み空間で段階ごとにどのくらいの距離を移動するか、など）。最小化しようとする損失を連続的に推定するとき、その1回ごとに見せるサンプルの「1組（バッチ）」をどのくらいのサイズにするかという問題もある。もちろん、機械学習を（Wolfram言語などで）応用して機械学習を自動化し、ハイパーパラメーターなどの設定を自動化するという手もある。

いずれにしても、訓練のプロセス全体は、損失が段階的に減っていくという特徴がある（次ページの図は、小規模な訓練におけるWolfram言語の進捗モニターだ）。

この図からも見てとれるように、損失はしばらくのあいだ減っていくが、やがて一定の値で横ばいになる。その値が十分に小さければ、訓練は成功と見なすことができる。小さくならないようなら、ネットワークアーキテクチャを見直したほうがいいという目安になる。

こうした「学習曲線」が横ばいになるまでに、時間はどのくらいかかるのだろうか。ほかの多くの要素と同じく、ここでも、べき乗則のスケーリング関係が成り立つと考えられる。ニューラルネットの規模と、そこで使用

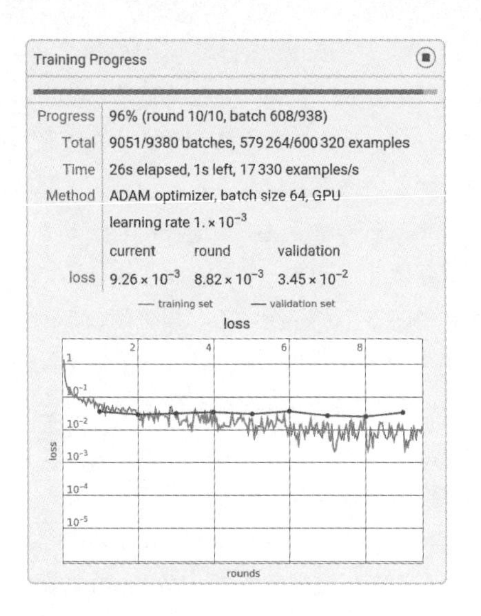

されるデータの量に基づいて決まるということだ。だが、一般的にニューラルネットの訓練は難しく、計算には多大な労力を伴うと結論できる。また、現実的な問題として、その労力のほとんどは配列になった数値の演算に費やされるため、それにはGPUが適している。だからこそ、ニューラルネットの訓練は利用可能なGPUの規模に左右されるのが常なのである。

今後、ニューラルネットの訓練に関して、ひいてはニューラルネットの機能の汎用化に関して、抜本的に今より優れた手法は登場するのだろうか。それはほぼ確実だろう、と私は考えている。ニューラルネットの基本的な概念は、大量の単純な（本質的には同一の）構成要素から、柔軟性の高い「計算機構」を作ること、そしてそれをサンプルから学習するように段階的に修正できる機構にすることだ。現在のニューラルネットでは、基本的に微積分の概念を利用し、それを実数に適用して、そうした段階的な修正を実現している。だが、高精度の数値を使う必要はないことが次第に明らかになってきた。現在の手法であれば、8ビットかそれ以下で十分だろうというのである。

セルオートマトンのように、多数のビットひとつひとつを並行して処理していくのを基本とする計算システムの場合、こうした段階的な修正をどう実行するかはまだ不明のままだ。だが、それが不可能だと考える理由はまったくない。それどころか、「2012年に起きたディープラーニングのブレークスルー」と同じように、段階的な修正は単純なケースよりむしろ複雑なケースのほうが実質的に簡単なのかもしれない。

ニューラルネットは——おそらく人間の脳もある程度までは——原則として固定されたニューロン網を使うように設計されている。修正されていくのは、ニューロンどうしの結合の強度（つまり「重み」）である（若いうちの脳では、膨大な数のまったく新しい結合が生まれている）。しかしこれは、生物学的に都合のよい設計ではあるものの、私たちが必要としている機能を実現する最善の手法に近いといえるかどうかはまったく分かっていない。段階的なネットワークの書き換えに等しい処理（Wolframの物理学プロジェクトにも通じる）のほうが、最終的には優れているということもありえるのである。

しかし、従来のニューラルネットの枠組みにおいてさえ、今は重大な限界がある。現在行なわれているようなニューラルネットの訓練は、あくまでも逐次（シーケンシャル）的であり、1回分のサンプルの効果を逆伝播して重みを更新している。そのため、実は現在のコンピューターハードウェアでは、GPUまで考えたとしても、ニューラルネットの大部分が訓練中はほぼ終始「アイドリング状態」だ。一度に1カ所ずつしか更新されないからである。ある意味でその原因は、現在のコンピューターがCPU（あるいはGPU）と別にメモリーを使っていることにある。だが、脳のはたらき方はそれとは異なると考えられている。「記憶素子」、つまりニューロンのひとつひとつが、潜在的な計算素子としても動いているのだ。したがって、今後のコンピューターハードウェアをそのような形にできたら、ニューラルネットは今よりはるかに効率的に訓練できるようになるのかもしれない。

「ネットワークが十分に大きければ何でもできる」のか

ChatGPTのようなシステムは、その機能の印象が鮮烈すぎるらしく、「このままの調子」でどんどん大規模なニューラルネットを訓練し続けていけば、やがては「何でもできる」ようになると人は考えがちだ。そのとき念頭にあるのが、人間の思考に直接すぐに利用できるものだとしたら、その予想もあながち外れてはいないのかもしれない。だが、過去何百年という科学の歴史から得られた教訓として、形式的な手順で解き明かすことはできても、人間の思考に直接すぐには利用できないものも確かに存在するのである。

非自明の数学がその最たる一例だが、実際には計算の全般に当てはまる。最後に問題となるのが、計算的還元不能性という現象だ。実行に多くの手順がかかりそうに思える計算でも、実際にはもっと直接的な計算に「還元」できる場合がある。だが、計算的還元不能性が見つかるということは、そうした還元が不可能な場合もあるということだ。そうなると、どんな結果になるかを解き明かすには、計算の各段階をひとつずつ追いかけなければならない。次ページの図に示すのがその一例だ。

私たちがふだん脳を使って行なうようなことは、計算的還元不能性を避けるよう意図して選択されているといわれている。人間の脳で数学を処理するのは、特に負担が大きいからである。非自明のプログラムを処理するス

テップをひとりの脳で「最後まで考えぬく」ことは、実際問題としてまず不可能だ。

言うまでもなく、そのためにこそコンピューターが存在している。コンピューターを使えば、私たちは計算的還元が不可能な長い処理でもこなすことができる。ここで肝要なのは、その処理に近道はまず存在しないということだ。

たしかに、特定の計算システムでどんなことが起こるか、具体的な例を大量に記憶することはできる。多少の汎化を行なえるくらいの一定の（計算的に還元可能な）パターンを見いだすことも、おそらくできるだろう。だが、計算的還元不能性がある以上、予期せぬことが起こらないとはいっさい保証できない。現に計算を実行してみて初めて、それぞれの場合に実際に何が起こるかを確定できるのである。

最後には、学習可能性と計算的還元不能性との間の根本的な対立が残る。学習とは、要するに規則性を利用してデータを圧縮することだ。ところが、計算的還元不能性があるとなると、規則性の成立にどうしても制限がかかる。

現実的な問題として、小さい計算装置、たとえばセルオートマトンやチューリングマシンを、ニューラルネットのように訓練可能なシステムに組み込むことを想像すればいいだろう。そうすれば、たしかにニューラルネットにとって的確な「ツール」として機能する。ちょうど、Wolfram|Alpha が ChatGPT に適したツールであるようにだ。しかし、計算的還元不能性を前提にすると、そうした装置の「中に入って」それを訓練できるとは考えにくい。

言い方を換えるなら、能力と訓練可能性との間には根源的なトレードオフがあるということだ。システムの計算能力を「真に活用」したいと考えれば考えるほど、計算的還元不能性は大きくなっていき、訓練可能性は小さくなっていく。逆に基本的に訓練可能性が大きくなるほど、複雑な計算はできなくなっていくのである。

（現在の ChatGPT を見ると、実際の状況はさらに極端だ。出力の各トークンを生成するときに使われるニューラルネットは、純粋な「フィードフォワード」ネットワークであってループを持たず、したがって非自明の「制御フロー」を用いる計算の能力は持ち合わせていないからである）

還元不能な計算を実行できることが本当に重要なのか、という疑問を抱くのはもっともだ。現に、人類史上のほとんどで、それが特に重要なことはなかった。しかし、私たちが住む現代技術社会の根底を支えているエンジニアリングは、数学的な計算の応用を最低条件としてきたし、計算処理全般への依存はますます強くなってきた。しかも、自然界を見渡せば、そこは還元不能な計算に満ちている。そうした還元不能な計算を、自分たちの技術的な目的のために再現し利用する方法を、私たちは少しずつ理解しているところなのである。

自然界に存在する規則性であれば、私たちが「人間の思考によって自力で」苦もなく発見できそうなものなら、たしかにニューラルネットにも発見できるだろう。だが、数学あるいは計算処理科学の範疇にあるものを解き明かしたいとなると、ニューラルネットでそれを実現することはできない。実現するには、「通常」の計算処理システムをうまく「ツールとして利用」しなければならないからだ。

しかし、以上すべてのことには、混乱を招きそうな点がある。これまで、コンピューターにとって「基本的に難度が高い」だろうと想定される処理がいくつもあった。小論文の執筆もそのひとつだ。それが、ChatGPT などによって実現されているところを見ると、コンピューターがいたって強力になったに違いないと、とっさに考えそうになる。とりわけ、以前にも基本まではできていた処理（セルオートマトンのような計算処理システムのふるまいを段階的に計算するなど）では長足の進歩をとげたように思ってしまう。

だが、そう結論するのは正しくない。計算的に還元不能なプロセスは、やはり計算的に還元不能なのであり、たとえコンピューターが個々のステップなら苦もなく計算できたとしても、そのプロセス全体は依然としてコンピューターには根本的に困難なのである。そうなると、結論はむしろその逆になるはずだ。小論文の執筆のように、人間にはできてもコンピューターにはできないと考えられてきた処理が、実は計算処理の点から考えると、ある意味では思っていたより容易だということだ。

言い換えるなら、ニューラルネットがうまく小論文を書けるのは、小論文の執筆というのが、これまで考えられていたより「計算処理的に浅い」問題だったからなのである。いってみれば、これは小論文の執筆といった処理、ひいては言語処理一般を人間がどうこなしているかという「理論の確立」に近づいたことになる。

十分に大きなニューラルネットがあれば、たしかに人間が簡単にできることなら何でもこなせるようになるかもしれない。だが、自然界で広く可能なこと、あるいは自然界から人が作り出した道具でできることは、捉えようとしても捉えられるものではない。そして、そうした道具を使ったからこそ、人間はこの何世紀かをかけて、「純粋に人間の思考だけ」で実現できることの境界線を越えてこられたのだし、物理的な世界と計算機的な世界に広がる可能性を、自分たちの目的のために手に入れられるようになったのである。

埋め込みの概念

ニューラルネットは、現在の環境に限っていえば、基本的に数を基盤としている。したがって、文章のようなものに使うのであれば、文字を数値で表す手だてが必要になる。実際、手はじめとしては（本質的にはChatGPTがやっているように）辞書にある単語ひとつひとつに数値を割り当てるということも可能ではある。だが、重要なのはそのような範囲を超えた考え方であり、ChatGPTでもそれが中心になっている。その概念が「埋め込み」である。ものの「基本的な特性」を数の配列で表し、「その特性が近いもの」は近い数値で示そうというのが埋め込みの発想だ。

そこで、たとえば単語の埋め込みであれば、一種の「意味空間」に単語を並べ、なんらかの点で「意味が近い」単語はその中で近い場所に配置するということが考えられる。ChatGPTなどで使われている実際の埋め込みの場合、数値のリストは膨大な規模になるのだが、それを二次元に落として投影してみると、埋め込みによる単語の配置は次ページの図のように表すことができる。

ご覧のように、日常的な単語はかなりうまく取得されていることが分かる。では、このような埋め込みをどうやって構築するのか。おおまかな概念としては、大量の文章（ここでは、ウェブ上の50億語を使っている）を参照し、個々の単語が出現する「前後関係」が「どのく

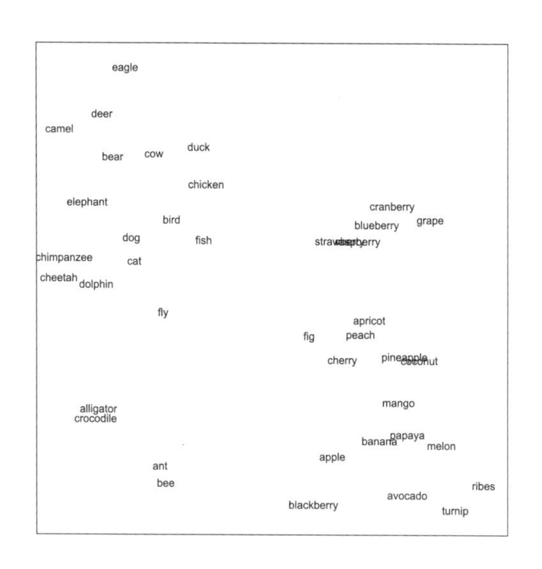

らい似ているか」を調べるのである。たとえば、「alligator（アリゲーター）」と「crocodile（クロコダイル）」は、前後が似ている文の中で、入れ替え可能な単語として使われることが多いので、埋め込みでも近い位置に配置される。一方、「turnip（カブ）」と「eagle（ワシ）」は前後が似ている文に出現する可能性が低く、それゆえ埋め込みでは対極の位置に配置される。

それでは、ニューラルネットを使ってこのような埋め込みをどうやって実現するのか。ここでは、単語ではなく画像の埋め込みについて考えてみる。見つけたいのは、「似ていると見なされる画像」に同じような数値のリストが割り当てられるように、数値のリストによって画像の特徴を表現する方法だ。

「画像を似ていると見なす」かどうかは、どうやって決まるのだろうか。たとえば、手書きの数字の場合、「2

つの画像を似ていると見なす」のは、同じ数字になっている場合だ。手書きの数字を認識するよう訓練したニューラルネットについては、すでに説明した。そして、このニューラルネットは、最終的な出力の段階で数字の画像を10個の容器にそれぞれ仕分けするように設定されていると考えることができる。

では、最終的に「これは4だ」という決定が下される前の段階でこのニューラルネットの内部がどうなっているかを「捕捉」してみたらどうだろう。内部的には、「だいたい4っぽいが、2っぽくもある」とか、そういった状態の画像の特徴を表現する数字があるのではないかと予想できそうだ。そういう段階の数字を選び取って、埋め込みの要素として使うというのがポイントだ。

コンセプトとしてはこうなる。「どの画像が、ほかのどの画像に近いか」という特徴を直接的に表現しようとするのではなく、区別しやすい訓練データを用意できる、範囲の明確な処理（この場合は、数字の識別）を想定する。そのうえで、この処理を実行するときには「似ているかどうかの判定」に当たる決定をニューラルネットが暗黙的に下すことになるという事実を利用するのである。つまり、「画像どうしが似ているかどうか」を明らかにしようとするかわりに、ある画像がどの数字を表すかという具体的な問いに置き換え、そこから「画像どうしが似ているかどうか」の判定を暗黙的に「ニューラルネットが導き出すに任せる」のである。

そうなると、数字を認識するニューラルネットの場合、これはどう機能するのか。この問題は、連続する11の層で構成されるネットワークと考えることができ、アイコンで表すと下の図のようにまとめられる（活性化関数を1つの層として示している）。

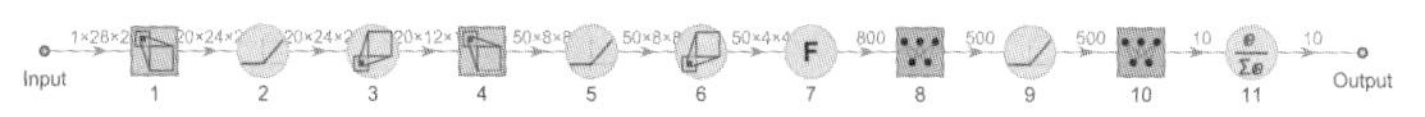

最初に、ピクセル値の二次元配列として表した実際の画像を第1層で入力として与える。最後に、つまり最終層では、10個の値の配列が出力される。この段階で、画像が0から9それぞれの数字に該当することについて、このネットワークが「どのくらいの確度」を示しているかが分かると考えてよい。
の画像を入力として指定すると、最終層でのニューロンの値は次のようになる。

{1.42071 × 10^{-22}, 7.69857 × 10^{-14}, 1.9653 × 10^{-16}, 5.55229 × 10^{-21}, 1., 8.33841 × 10^{-14}, 6.89742 × 10^{-17}, 6.52282 × 10^{-19}, 6.51465 × 10^{-12}, 1.97509 × 10^{-14}}

言い換えると、このニューラルネットは最終層の段階で、この画像が4であると「かなりの確度」で判定しており、実際に「4」を出力させるには、値が最大であるニューロンの位置を選択するだけでよい。

では、この1つ前の段階はどうなっているのだろうか。このネットワークで最後に使われる処理は、いわゆるソフトマックス関数であり、「確率を適用」しようとする。ソフトマックス関数を実行する前には、ニューロンの値はこうだった。

{-26.134, -6.02347, -11.994, -22.4684, 24.1717, -5.94363, -13.0411, -17.7021, -1.58528, -7.38389}

値が最も高いのはやはり「４」を表すニューロンだが、他のニューロンの値にも情報がある。この数字のリストを使うと、いわば画像の「基本的な特性」を特徴として表現することができ、したがって埋め込みに使える要素が確保できる。たとえば、以下に示す「４」はそれぞれ少しずつ異なる「シグネチャ」を持ち（「特徴埋め込み」）、いずれも「８」とは大きく異なっている。

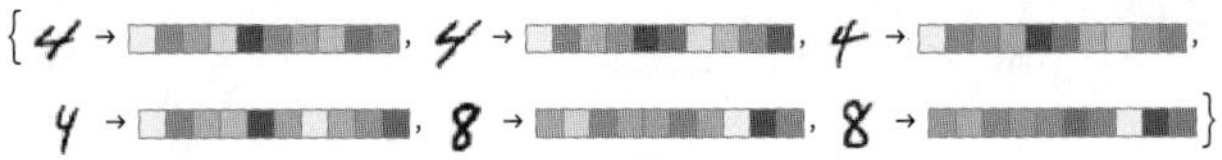

ここでは、基本的に10個の数字を使って画像の特徴を表現しているが、もっとたくさん使ったほうがいい場合も多い。たとえば数字を認識するニューラルネットの場合、先行する層を利用して500個の数字の配列を取得できる。「画像埋め込み」として使うには、おそらく妥当な配列だろう。

手書きの数字の「画像空間」を明確に視覚化したい場合には、この「次元を減らし」て、500次元のベクトルを、たとえば次のように三次元の空間に投影する必要がある。

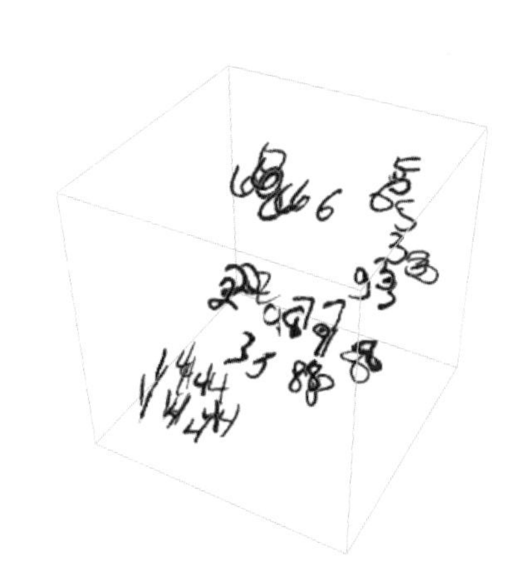

いま説明したのは、同じ手書きの数字に対応するかどうかを（訓練セットに基づいて）判定し、そこから実質的に画像の類似性を基準として画像の特徴表現を作り出す（つまり、埋め込みする）という処理だった。画像が、たとえば一般的な5,000種類のもの（ネコ、イヌ、椅子……など）のどれに当たるかを識別する訓練セットがあれば、同様の処理は、もっと広く画像一般に対しても可能になる。このように、一般的なものを識別したその情報によって「アンカー」を設定した画像の埋め込みを実行できるが、その次にはニューラルネットの動作に応じて「アンカーを中心とした汎化処理」が続く。そして、その動作が画像に関する人間の知覚と解釈に即しているかぎり、「人間には正解に見える」埋め込みが行なわれる結果となる。「人間の判断に近い」処理を実行するという点では、それで有効なのである。

では、同じようなアプローチで、単語の埋め込みを見つけるにはどうすればいいのだろうか。その鍵となるのが、すぐに訓練できる単語に関する処理から始めることで、その標準的な処理を「単語予測」という。たとえば“the ___ cat”、つまり「○○ネコ」という例を考えると、大量の文章のコーパス（ウェブ上の文章コンテンツなど）に基づいて「空欄に当てはまり」そうな単語ごとの確率を求める。あるいは、“___ black___”、つまり「○○黒い○○」であれば、「両端に入る単語」ごとの確率を求めるのである。

この問題設定をニューラルネットに当てはめるにはどうするかというと、最後にはすべてを数値の形で定式化しなければならない。ひとつの方法としては、英語における5万前後の日常単語ひとつひとつに固有の番号を割り振るだけでもいい。“the”は914、“cat”（直前の空白も含めた形）は3542などとするのである（これはGPT-2で実際に使われた数だ）。そうすると、“the ___ cat”なら入力は{914, 3542}となる。では、出力はどうなればいいのか。「空欄に当てはまる」単語候補それぞれの確率を表した5万前後の数値のリストになるはずだ。そしてここでも、埋め込みを見つけるには「結論に達する」直前のニューラルネットの「内部状態」を「捕捉」すればいい。そこに出現している数値のリストを選び出せば、それが「各単語の特徴を表現している」と考えられるはずだ。

では、そういった特徴表現はどのように見えるのか。過去10年ほどの間に各種のシステム（word2vec、GloVe、BERT、GPTなど）が生まれており、それぞれの基盤となるニューラルネットのアプローチは異なっていた。だが、極論すればどれも、単語の特徴を数百から千単位、万単位の数値のリストによって表現している。

これを「埋め込みベクトル」というが、元の形のままではあまり情報として利用できない。たとえば、以下の単語を表す埋め込みベクトルを元の形のまま表すとこうなる。

このようなベクトル間の距離を測るなどの処理を経ると、単語どうしが「近いかどうか」などを確かめることができる。こうした埋め込みについて「認識上」の重要度をどう考えるか、その詳細については後述するが、ここで肝心なのは、単語を「ニューラルネットで扱いやすい」数値の集まりに変換する方法が確立したということである。

ただし現実には、数値の集まりによって単語の特徴を表現する段階より先にまで進んでいる。単語の連なりについても、それどころか文章のかたまり全体についても同様のことが可能になっているのだ。ChatGPTの内部では、まさにそのように処理されており、ある時点までの文章を取り込んで、それを表す埋め込みベクトルを生成している。そうなると、次の目標は、あとに続きそうな個々の単語ごとに確率を求めることだ。その答えは、

5万前後の単語候補について確率を表す数値のリストということになる。

（厳密にいうと、ChatGPTが扱っているのは単語ではなく「トークン」である。便宜的な言語単位であり、単語の場合もあれば、“pre”、“ing”、“ized”といった断片のこともある。トークンを扱ったほうが、出現頻度の低い単語や複合語、英語以外の単語を処理しやすいからだが、よしあしは別として、新しい言葉を造語してしまうこともある）

ChatGPTの内部

さて、これでようやく、ChatGPTの内部についての話に進めるようになった。つまるところ、ChatGPTとは巨大なニューラルネットであり、現在のバージョン、いわゆるGPT-3では1750億個の重みがある。多くの点で、ここまでに説明してきた他のニューラルネットとよく似ているが、特に言語処理を目的として設計されている。そして、その最も特徴的な点が、ニューラルネットアーキテクチャのなかの「トランスフォーマー」という部分だ。

前述した最初のニューラルネットでは、ある層におけるどのニューロンも基本的に、1つ前の層のすべてのニューロンと結合されていた（それぞれの重みは異なる）。しかし、このようにネットワークをすべて結合したのでは、何か既知の構造があるデータを扱う場合には過剰になってしまう（その可能性が高い）。したがって、たとえば画像を扱う初期の段階では、いわゆる畳み込みニューラルネット（Convolutional Neural Net、CNN。ConvNetとも表記する）を使うのが一般的である。CNNでは、画像のピクセルに似たグリッド上にニューロンが配置され、グリッド上で近くにあるニューロンしか結合しない。

文章の一部を構成しているトークン列に対して、いくぶんなりともそれと同じようなことを実行するというのが、トランスフォーマーの考え方だ。ただし、そのトークン列の中で、結合が可能な領域を固定的に定義するのではなく、注意(アテンション)という概念を導入して、トークン列の特定の部分に他の部分よりも重点的に「注意を払う」。もしかすると、そのうち、汎用的なニューラルネットを開始するだけにして、カスタマイズはすべて訓練を通じて行なうのが妥当という日がいずれ来るのかもしれない。だが、少なくとも今のところ、現実的にはこうした「モジュール化」が欠かせない。トランスフォーマーはそれをやっているのであり、おそらくは私たちの脳も同じことをやっている。

では、ChatGPT は(というより、その基盤になっている GPT-3 ネットワークは)実際に何をしているのか。思い出してほしいのだが、全体としての目標は、訓練で理解した内容に基づいて「順当な」形で文章を続けることだった(その訓練とは、ウェブなどから集めた膨大な量の文章を見せることである)。つまり、ある時点で一定量の文章を取得し、追加する次のトークンについて適切な選択を見いだすことをめざすのである。

動作は基本的に 3 段階で進む。まず、今までにできている文章に対応するトークン列を取得し、それを表す埋め込み(すなわち、数字の配列)を見つける。次に、この埋め込みを対象として、「標準的なニューラルネットと同じように」、連続したネットワーク層の中を値が「波紋のように伝わって」いって、新しい埋め込み(新しい数字の配列)が生成される。そして、この配列の最後の部分を取得し、そこから次に来そうなトークンの確率が得られる約 5 万個の値の配列を生成する(これは偶然だが、ここで使われるトークンの数は英語でよく使われる単語の数とほぼ同じである。ただし、トークンのうち完全な単語になっているのは3,000個ほどで、残りは単語の断片にすぎない)。

重要なのは、このプロセスのどの部分もニューラルネットによって実現されており、その重みはネットワークの一貫した訓練によって決まっているということだ。言ってみれば、「構築したと明確にいえる」のは実質的に大枠のアーキテクチャだけで、それ以外はすべて訓練データから「学習」しているにすぎない。

といっても、そのアーキテクチャの設計には、あらゆる経験とニューラルネットの知見を反映した細目がいくつもある。そして、ここからは間違いなく話が難しくなってしまうのだが、その細目をある程度までは説明しておいたほうがいいだろう。特にChatGPTのようなシステムの構築には何が必要か、その感覚をつかむには有効だからだ。

最初に来るのは、埋め込みモジュールだ。Wolfram言語で、GPT-2の場合を図式化すると、次のようになる。

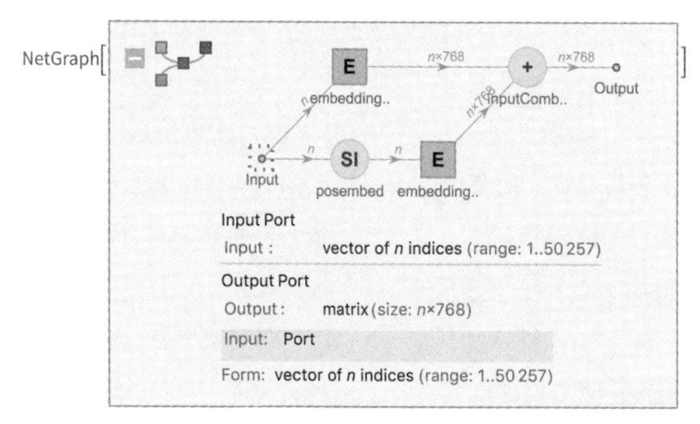

入力は、*n*個のトークンのベクトルである（前セクションのときと同様、1からおよそ50,000までの整数）。そのトークンそれぞれが（1層のニューラルネットによって）埋め込みベクトル（GPT-2では長さ768、ChatGPTに使われているGPT-3では長さ12,288）に変換される。その一方では、「第2の処理経路」もあって、トークンの位置（整数）の系列を取り、その整数から別の埋め込みベクトルを生成する。最後に、トークン値からの埋め込みベクトルと、トークン位置からの埋め込みベクトルとを加算すると、埋め込みモジュールからの最終的な埋め込みベクトルの系列が得られる。

トークン値とトークン位置の埋め込みベクトルを加算するだけでいいのは、なぜなのか。科学的な根拠は特にないと思う。さまざまな手法を試みてきて、これが実際に機能するというだけのことだ。ある意味で、用意されている環境が「おおむね正しい」かぎり、十分な訓練を実行するだけで詳細まで求めることができるというのが、ニューラルネットに関する知見のひとつになっている。ニューラルネットが最終的に自身をどう構成しているのか、「エンジニアリングのレベルで理解する」必要はまったくないのである。

埋め込みモジュールが、*hello hello hello hello hello hello hello hello hello hello bye bye bye bye bye bye bye bye bye*という文字列を対象として実行する処理は、次ページの上の図のようになる。

1つ目の配列では、各トークンの埋め込みベクトルの要素が縦軸に示されており、横軸には最初に一連の“hello”

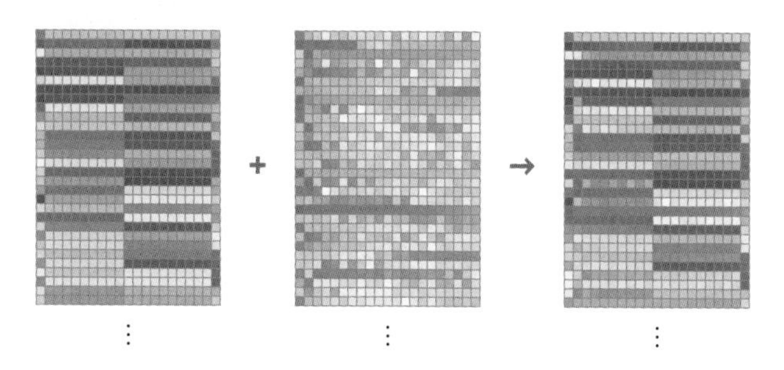

の埋め込み、続いて一連の “bye” の埋め込みが並んでいる。2つ目の配列は位置の埋め込みで、だいたいランダムそうに見える構造は、単に「たまたま学習した」結果にすぎない（ここではGPT-2で）。

埋め込みモジュールに続くのが、トランスフォーマーのいわばメインイベント、いわゆる「アテンションブロック」の系列だ（GPT-2で12個、ChatGPTに使われているGPT-3では96個）。いたって複雑であり、理解の難しい典型的な大規模エンジニアリングシステムを、さらに言えば生物システムを彷彿（ほうふつ）させる。それはともかく、1つの「アテンションブロック」を図式化すると、次のようになる（GPT-2の場合）。

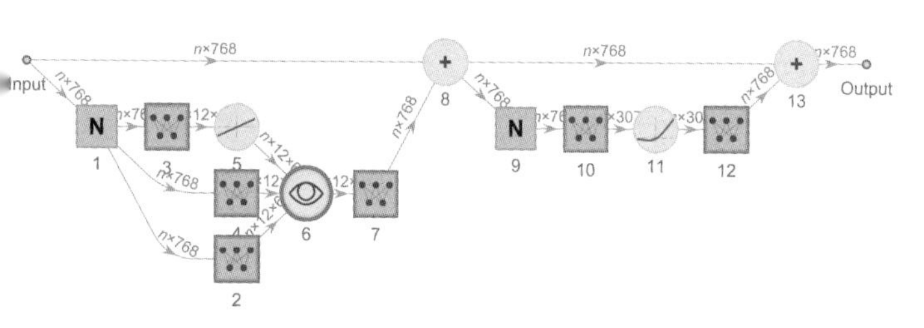

このようなアテンションブロックごとに、「アテンシ

ョンヘッド」(個数はブロックと同じで、GPT-2で12個、ChatGPTに使われているGPT-3では96個)の集まりがある。各アテンションヘッドは、埋め込みベクトルの値のチャンクそれぞれを別々に扱っている(ちなみに、埋め込みベクトルを別々に扱うとよい理由は特に分かっていないし、個々の部分が何を「意味」するかも分かっていない。これもやはり、「うまく機能する」と分かっていることのひとつにすぎない)。

では、アテンションヘッドの機能は何か。基本的には、トークン列を「振り返る」(つまり、ある時点までに生成された文章を振り返る)しくみであり、次のトークンを見つけるときに役立つ形で「過去をまとめあげる」機能をはたしている。直前の内容に基づいて、2-グラムの確率で単語を選ぶ処理については、すでに述べた。トランスフォーマーにおけるアテンション機構がやっているのは、さらに前の単語にまで「注意を向け」られるようにすることだ。つまり、ある文の中で何単語も前に出現した名詞に動詞がどう係っているか、といったことまで捉えられる可能性がある。

詳しく言うと、アテンションヘッドの機能は、埋め込みベクトルの中のさまざまなトークンに対応するチャンクに、特定の重みを付けなおすことだ。そこで、たとえば、最初のアテンションブロックにある12個のアテンションヘッド(GPT-2の場合)は、先ほどの“hello”と“bye”の文字列に対して、以下のようなパターン(いわば「トークン列の先頭までえんえんと振り返る」)で、「重みを付けなおし」ている。

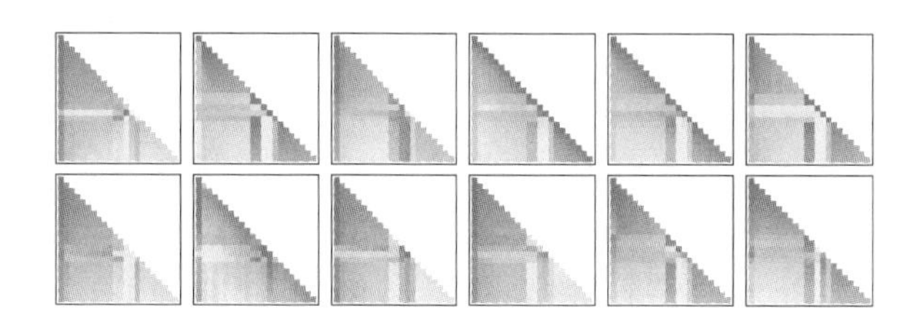

アテンションヘッドによる処理後、「重みを付けなおされた埋め込みベクトル」（GPT-2では長さ768、ChatGPTに使われているGPT-3では長さ12,288）は、「すべてが結合された」標準のニューラルネット層を通る。この層が何をするかを理解するのは難しいが、そこで使われる768×768の行列をプロットすると、次のようになる（これはGPT-2の場合）。

64×64の移動平均をとると、（ランダムウォークっぽい）一定の構造が現れはじめる。

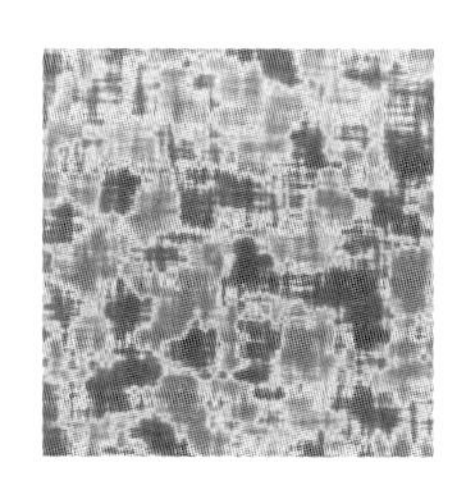

この構造を決めているのは何か。結局のところは、人間の言語の特徴を「ニューラルネットでエンコード」しているのだと考えられる。だが今のところ、その機能の実態はまったく分かっていない。とどのつまり、ここでは「ChatGPT の脳を開いて」（とりあえずは GPT-2の）、うん、中は複雑だ、理解できない、それでも最後には認識できる人間の言語を生成するのだ、ということを発見している段階だといっていい。

これで、1つのアテンションブロックが終わって、新しい埋め込みベクトルができた。続いて、それが後続のアテンションブロックに進む。アテンションブロックはそれぞれ、独自パターンの「アテンション」を持ち、「すべてが結合された」重みを持つ。次の図は、最初のアテンションヘッドのうち、“hello” と “bye” の入力に対するアテンション重みの列だ。

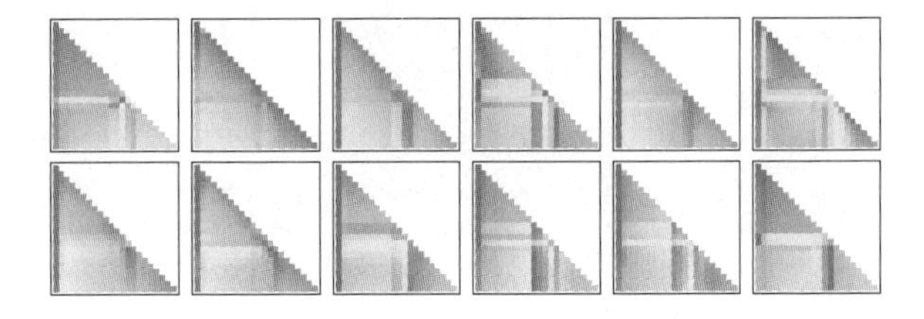

そして、すべてを結合した層の「行列」（移動平均後の）はこうなる。

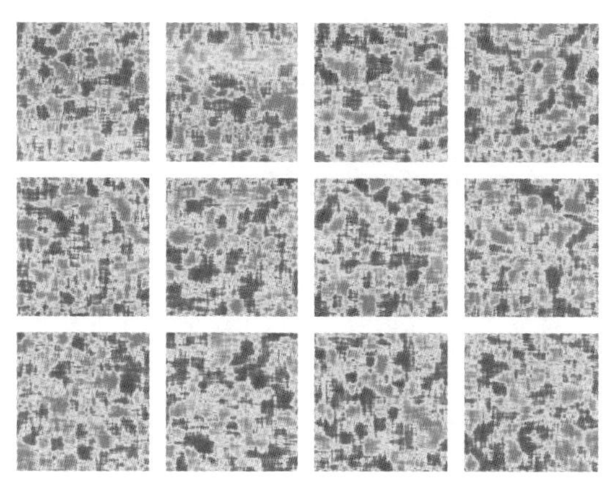

不思議なことに、こうした「重みの行列」は別々のアテンションブロックでもよく似ているが、重みの大きさ分布は少しずつ違っている（ガウス分布にならないこともある）。

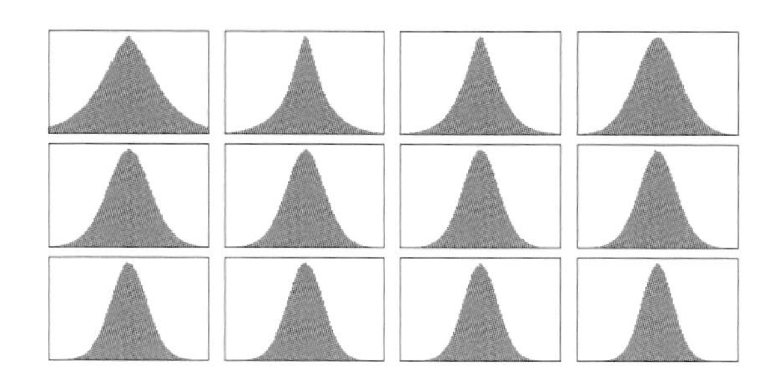

では、こうしたアテンションブロックをすべて通ったうえで、トランスフォーマーは実質的にどんな結果をもたらすのか。基本的には、トークン列を表す埋め込みの当初の集まりを、最終的な集まりに変換する。そして、その集まりから最終的な埋め込みを選択し、それを「デ

コード」して、次にどんなトークンが続くべきかを示す確率のリストを生成する。これがChatGPT固有の動作だ。

以上が、ChatGPTの内部で起こることの概要である。複雑に思えるかもしれないが（ましてや、その多くが、どうしてもある程度は恣意的な「エンジニアリング上の選択」になってくるので）、最終的に関係する要素は驚くほど単純だ。つまるところ、ここで扱っているのは「人工ニューロン」で構成されたニューラルネットにすぎず、そのニューロンそれぞれが数値入力の集まりを取って、それに特定の重みを付けているだけだからである。

ChatGPTへの最初の入力は数字の配列（ある時点までのトークンの埋め込みベクトル）であり、ChatGPTが「稼働」して新しいトークンを生成するときには、その数字がニューラルネットの層の間を「波紋のように伝わって」いき、各ニューロンは「それぞれの機能をはたし」たうえで、その結果を次の層のニューロンに渡す。それだけであって、ループ処理もなければ、「遡及的な処理」もない。あらゆることが「フィードフォワード」、つまりネットワーク中を順方向へと進んでいくだけなのである。

これは、典型的な計算システム、たとえばチューリングマシンなどとはかなり違う。通常の計算システムでは、同じ計算素子によって結果が何度も「再処理」されるからだ。ChatGPTでは、少なくとも一定のトークンとして出力を生成するとき、各計算素子（つまりニューロン）は1回しか使われない。

だが、計算素子を再利用する「外側のループ」は、ある意味でChatGPTにも存在する。ChatGPTが新しいトークンを生成するときには、そこまでに生成されたトークン列全体を必ず「読み取る」(つまり、入力として受け取る)からである。これには、ChatGPT自身がそれ以前に「書き込んだ」トークンも含まれる。ということは、ある意味でChatGPTは――最低でもその最も外側のループに――「フィードバックループ」を備えていると考えることができる。ただし、どの反復処理も、生成される文章に表れるトークンとしてはっきり目に見えるので、その点は特徴的だ。

とりあえず、ChatGPTの中核に話を戻そう。各トークンを生成するときに繰り返し使われるニューラルネットのことである。あるレベルで見れば、いたってシンプルだといえる。同一の人工ニューロンの集まり全体だ。ネットワークの一部は、「すべてが結合された」ニューロンの層で構成されており、ある層のどのニューロンも(それぞれの重みで)、1つ前の層のすべてのニューロンに結合されている。だが、特にトランスフォーマーアーキテクチャを導入したChatGPTにはそれ以外の構造もあって、異なる層の特定のニューロンしか結合されていない(もちろん、それでも「ニューロンはすべて結合されている」といえなくもない。その一部の重みがゼロだと考えればいいのである)。

しかも、ChatGPTのニューラルネットは、「均質な」層だけで構成されているとは限らないという側面もある。たとえば、前掲した図式のまとめでも分かるように、アテンションブロックの内部には、受け取ったデータから「複数のコピーを作成」する部分が存在する。コピーのそれぞれが異なる「処理経路」を通り、後から再結合されるため、通過する層の数は異なる可能性もある。ただし、これは内部処理を表すのに都合がいいかもしれないが、「１つの経路につながった」層を考えることは原則として常に可能で、一部の重みがゼロだと考えればいいのである。

ChatGPTで最長の経路を見てみると、使われている層（コア層）の数はおよそ400で、見方によってはそれほどの数ではない。だが、ニューロンの数は数百万を超えるので、結合の数は合計で1750億に達し、重みも1750億個となる。つまり、あらためて確認すると、ChatGPTは新しいトークンを生成するたびに、これほどの数の重みをひとつひとつ計算しているのである。実装面でいうと、その計算は「層ごと」に並列度の高い配列計算にまとめることができ、これはGPUで処理するのに都合がよい。それでも、生成するトークンごとに1750億回の計算（最終的にはもう少し多くなる）を実行しなければならないのは同じだ。だから、ChatGPTで長めの文章が生成されるときに時間がかかることがあるのも、驚くには当たらない。

そうこうしながらも、このような演算すべて――個々にはごく単純だ――が一体となって、文章を生成するという「人間らしい」仕事をうまくこなせるようになるというのは、驚異的である。繰り返し強調しておきたいが、このようなしくみがなぜ機能するのか、「最終的な理論上の理由」はない（少なくとも、いま分かっているかぎりは）。それでも、これから説明するように、これは科学上の、おそらくは驚愕の大発見だと考えるしかない。ChatGPTのようなニューラルネットでは、人間の脳が言葉を紡ぎ出すときにこなしている処理の本質を捉えることが可能なのである。

ChatGPT を訓練する

ここまでで、構築の済んだChatGPTがどう動くか、その概要は分かった。では、それはどうやって構築されたのか。ニューラルネットに使われる1750億個もの重みは、どうやって決まったのか。簡単に言うと、超大規模な訓練の結果であり、その基盤になるのはウェブページや書籍など、人間が書いた文章の巨大なコーパスである。前述したように、そういった訓練データすべてがあるにしても、ニューラルネットが「人間のような」文章をうまく生成できる理由は明らかになっていない。それを実現するには、細部に至るまでのエンジニアリングが必要なことも述べた。にもかかわらず、ChatGPTが驚異的で、大発見といえるのは、まがりなりにもそれが可能だからだ。しかも、事実上は「たった」1750億個の重みを使うニューラルネットで、人間が書いた文章の「合理的なモデル」を構築できるのである。

今の時代、人が書いてデジタルの形式で世に出ている文章は膨大な量にのぼる。一般のウェブサイトには、人の書いた文章が何十億ページからあり、すべてあわせた単語数はおそらく1兆語になる。また、非公開のウェブページまで含めれば、その数は数百倍にふくらむだろう。現在までに、500万点以上の書籍が利用可能になっているので（歴史上出版された億単位の書籍のうち）、単語数はさらに1億語ほど増える。これでも、動画で話される文章はまだ計算に入れていない（参考までに個人的なデータをあげてみよう。私がこれまでの生涯で発表してきた文章の総単語数は300万語を少し下回るくらいで、30年以上の間に書いたメールがおよそ1500万語、すべてあわせると、およそ5000万語を入力してきたことになる。一方、過去2年の間だけでも、私はライブ配信で1000万語以上を発話している。この全部からボットを訓練してもいいかもしれない）。

これだけのデータがそろったとして、そこからニューラルネットをどうやって訓練するのだろうか。基本的なプロセスは、すでに述べた簡単な例の場合とそれほど変わらない。大量のサンプルを示し、そのサンプルについてニューラルネットが出す誤差（「損失」）を最小化できるように、ネットワークでの重みを調整していくのである。誤差からの「逆伝播」に伴うコストは膨大だが、その最大の原因は、逆伝播のたびにネットワークの重みはそれぞれ、わずかずつにもせよ変化するのが普通であり、扱う重みがとんでもない数になることにある（実際の「逆伝播」は、順方向の伝播より一定率でわずかに難しくなるだけだ）。

最新のGPUハードウェアを使えば、何千何万というサンプルの各バッチから並列で結果を計算するのは造作もない。だが、ニューラルネットの重みを実際に更新するとなると、現在の手法では基本的にバッチ1つごとの処理にならざるをえない（本物の脳が、計算素子と記憶組織を組み合わせられるゆえに、少なくとも当面の間アーキテクチャとして優位にあるのは、これが理由だろう)。
先にあげた数値関数の学習くらい単純そうな場合でさえ、ニューラルネットをうまく訓練するには、数百万からのサンプルを使わなければならないことが多かった。最初から始めるときは常にそうだ。では、「人間なみの言語」モデルを訓練するには、どのくらいのサンプルが必要になるのか。その答えを知る「理論上の」抜本的な方法はありそうにない。しかし現実として、ChatGPTは数十億語の文章があればうまく訓練できる。

何回も読み込まれる文章もあれば、1回しか読み込まれない文章もある。いずれにしても、ChatGPTは示された文章から「必要とするもの」を獲得していく。それでは、学習する文章をこのくらい大量に与えられたとして、「適切に学習する」には、どのくらいの規模のネットワークが必要なのだろう。これについても、理論上の抜本的な方法を答えることはできない。最終的には、後で述べるように、人間の言語と、人間がその言語で話す内容について、なんらかの「完全なアルゴリズムによるコンテンツ」が存在するのかもしれない。だが、そうなると次の疑問は、そのアルゴリズムによるコンテンツに基づいた訓練を、ニューラルネットがどのくらい効率的に実行できるかということになる。これもやはり不明なのだが、ChatGPTの成功から、十分に効率的であることは察せられるのである。

最後に指摘できるのは、ChatGPTが2000億弱の重みを使って、それなりの成果を出しているということだ。この数は、訓練に使われたデータの単語数(厳密にはトークン数）に近い。うまく動くように見える「ニューラルネットの規模」が、「訓練データの規模」に近いというのは、驚異的だと言えないこともない（ただし経験的には、ChatGPTに似た小規模のシステムでもこれは確認されている）。なにしろ「ChatGPTの内部」には、ウェブページや書籍などの文章が「そのまま蓄積」されているわけではない。実際にChatGPTの内部にあるのは、精度10桁未満の無数の数字であり、その数字が文章すべてから集約した構造をある種の分散型でエンコードしたものなのである。

言い換えると、人間の言語と、その言語を使った代表的な発話に関して「有効情報量」はどのくらいかという問いが成り立つ。言語のサンプルについては、元のコーパスがあって、それをChatGPTのニューラルネットで表現する。その表現は、高い確率で「アルゴリズム的に最低限」の表現からはほど遠くなる（この点は後述する）が、ニューラルネットですぐに使える表現でもある。そして、この表現では、どちらかというと訓練データの「圧縮」はほとんどないように見える。訓練データ1単語分の「情報量」を持つには、平均すると、ニューラルネットの重み1個分より若干少なくて済むようなのである。

ChatGPTを実行して文章を生成するときには、基本的にそれぞれの重みを1回使わなくてはならない。したがって、n個の重みがある場合には、n次の計算処理ステップが必要になるのだが、現実的にはその多くがGPUで並行処理される。一方、その重みを確立するために約n語の訓練データが必要だとすると、前述した内容から、ニューラルネットの訓練にはおよそn^2ステップの計算処理が必要になると結論できる。現在の手法に関して、およそ10億ドルという訓練コストが話題になるのは、そのためだ。

基本的な訓練の次にあるもの

ChatGPTを訓練するとき、その労力の大半はウェブページや書籍その他から既存の文章を大量に「見せる」ことに費やされる。しかし、ほかにもまだ、明らかにもっと重要な部分があることが分かる。

元々のコーパスを示されて、そこから「最初の訓練」が終わればすぐに、ChatGPT内部のニューラルネットはプロンプトなどに続けて独自の文章を生成できるようになる。ただし、この状態から妥当そうな結果を出力することも多い一方、特に文章が長くなったときには、「方向がずれて」いって、人間らしくなくなる傾向も強い。従来のような統計学を文章に適用して見つけられるような不備ではなく、人間が読めば容易に気づくような誤りだ。

ChatGPTを構築するうえで重要な考え方は、ウェブページなどから「受動的に読み取っ」たあとで、次の段階に進むことだった。実際に人にどんどんChatGPTと対話してもらい、その生成結果を見たうえで、「優れたチャットボットになるにはどうすればいいか」をフィードバックしてもらうのである。では、そのフィードバックをニューラルネットはどう利用するのか。最初のうちは、ニューラルネットからの出力結果を人に評価させるだけだが、次にはその評価について予測を試みるもうひとつのニューラルネットモデルが作られる。今ではこの予測モデルを、実質的に損失関数と同じように、元のネットワークに対して実行できるので、事実上はこのニューラルネットを人からのフィードバックによって「チューンアップ」できるようになっている。そして、こうした成果は実際に、システムが「人間のような」出力をうまく生成するうえで大きな影響を与えているようなのである。

「最初に訓練」されたニューラルネットを、実用的な一定の方向に向かわせようとするときには、概して「介入」がほとんど必要ないという点は注目に値する。「何か新しいことを学習した」ようにネットワークを機能させるには、そこに介入して訓練のアルゴリズムを実行し、重みを調整するといったことが必要になると考えていたとしても当然だ。

だが、そうではない。実は、ChatGPTには指示を1回与えれば基本的には十分のようなのだ。プロンプトを与えると、人が伝えた内容をうまく利用して文章を生成する。このように動作するという事実も、ChatGPTが「実際に実行している」内容を理解し、人間の言語や思考のしくみとの関連性を把握するときに重要な手がかりになるはずだ。

たしかに、ここにはなかなか人間らしい点がある。あれだけの訓練を事前に一度でも受けたあとには、一度でも何かを伝えると、ChatGPTはそれを「覚える」ことができる。少なくとも、それを使って文章の一部を生成するまでの「十分に長い時間」、記憶しているのである。ここでは、いったい何が起こっているのか。もしかすると、「ChatGPTに命じそうなことはすべて、すでにどこかにあって」、それを正しい場所へと導くだけなのかもしれない。だが、それはありそうにない。もっとありそうなのは、あらかじめ要素がそこにあって、その細目は「要素間の軌道」のようなもので決まり、何かを命じるとその軌道を伝えることになるということだ。

だから、人間でもおおかた同じだが、ChatGPTに分かっているフレームワークにまったく当てはまらない奇異なことや予想外のことを伝えると、それをうまく「組み込む」ことはできそうにない。「組み込む」ことができるのは基本的に、すでに持っているフレームワークの上にごく単純な形で乗っているものに限られる。

また、ニューラルネットが「選び出せる」ことには、必然的に「アルゴリズム上の限界」があるという点もあらためて指摘しておこう。「これはそこに当てはまる」式の「浅い」ルールを伝えると、ニューラルネットはほぼ確実に、その答えを苦もなく表現し、再現してみせる。現に、言語から「すでに学んでいる」ことに基づいて、直後に続くパターンを示す。ところが、計算的に還元不能そうな手順をいくつも伴う、現実の「深い」計算のルールを与えると、まったく機能しなくなるのだ（ニューラルネットは、ステップごとに「データを順方向に送る」だけで、新しいトークンを生成する点を除けばいっさいループしないことを思い出そう）。

具体的に個々の「還元不能」な計算なら学習できることは、言うまでもない。だが、組み合わせの確率が顔を出したとたんに、そのような「一覧参照式」のアプロー

チは通用しなくなる。そうなると、人間と同じように、ニューラルネットも実際の計算ツールに「手を伸ばす」べき段階になる（そう、唯一無二の適性を持つのがWolfram|Alpha と Wolfram 言語だ。言語モデルのニューラルネットと同じように、「世の中のことについて語る」ように構築されているからである）。

実際にChatGPTを動かしているもの

人間の言語は、そして言語の生成に伴う思考プロセスは、いわば複雑さの頂点にあるものだと常に考えられてきた。実際、人間の脳が（たかだか）1000億かそこらのニューロンから成る（結合部はおそらく100兆に及ぶ）ネットワークでそれを担っているというのは、なかなかの驚異だと思われている。人間の脳には、ニューロンのネットワークを超える何か、たとえば知られざる物理現象の新しい層のようなものが、きっとあるのだと想像していた人もいるだろう。しかし、ChatGPTの登場で、私たちは重要な情報のピースを新たに手に入れた。純粋に人工的なニューラルネットが、人間の脳のニューロンとほぼ同じ数の結合部を備えると、人間の言語を生成するという処理を驚くほど見事にこなせるという発見である。

たしかに、巨大で複雑なシステムには違いない。ニューラルネットの重みの数は、世の中でいま利用できる文章の単語数にほぼ匹敵する。だが、見方によっては、言語が持つあらゆる豊かさと、それが紡ぎ出すものを、このような有限のシステムに収められるというのは、いまだに信じがたいことかもしれない。そこで起こっていることの一部に、ある普遍的な現象が現れていることは間違いない。基礎にあるルールが単純でも、計算プロセスによってシステムの明らかな複雑さが大幅に増幅されることがあるという現象だ（これが最初に明らかになったのは、ルール30〔一次元セルオートマトンにおけるルールのひとつ。本書の著者スティーヴン・ウルフラムが1983年に導入した〕の例だった）。しかし実際には、これまでに見てきたように、ChatGPTで使われているようなニューラルネットは、この現象の――またそれに伴う計算的還元不能性の――影響を抑えるよう意図して設計される傾向がある。訓練のしやすさを優先するからだ。

では、ChatGPTのようなシステムはどうやって、言語を扱えるほどにまで進化できるのか。実は、言語というものがその根本的なレベルでは見かけより単純だからだ、というのが私の考える基本的な答えである。つまりChatGPTは、言ってしまえば簡単明瞭なニューラルネット構造でさえ、人間の言語とその背景にある思考の「本質を捉える」ことに成功しているといえるのだ。しかも、その訓練の過程でChatGPTは、それを可能にする言語（と思考）の規則性を、いつの間にか「ひそかに発見」している。

ChatGPTの成功は、根源的で重要な科学の一端について、その証拠を私たちに突きつけていると考えられる。最大級の「言語の法則」を、ひいては「思考の法則」を新たに発見できるかもしれない可能性を示唆しているということだ。ニューラルネットとして構築されている以上、ChatGPTではそうした法則はあったとしても暗黙的である。そこで、どうにかしてその法則を明白にできれば、ChatGPTが行なうようなことを、もっと直接的、効率的に、そして理解しやすい形で広げられる可能性が秘められているのだ。

では、そのような法則はいったいどんなものと考えられるだろうか。最終的には、言語が、そして言語を使って話す内容がどのように成り立っているかという、ある種の処方箋を与えてくれるはずである。後述するように、「ChatGPTの内部を見る」と、ある程度その手がかりを得られる可能性があり、計算言語の構築から得られた知見は今後の方向を示唆している。だが、まずは「言語の法則」に当たる要素として古くから知られている2つを取り上げ、それがChatGPTの動作にどう関わっているかを確認しよう。

1つ目は、言語の構文（シンタックス）だ。言語は、単語をランダムに並べたものでは決してない。さまざまな単語の並べ方について、（かなりまで）厳然とした文法規則がある。たとえば英語なら、名詞があればその前に形容詞があり、後ろには動詞が続く。また、2つの名詞が連続することは通常ない。このような文法構造は、「解析木」の要素

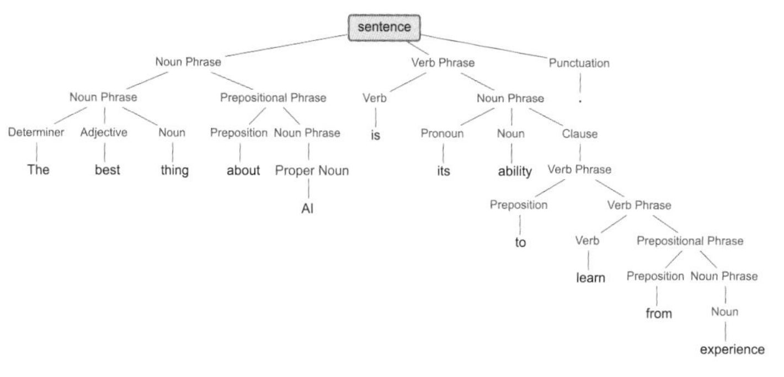

をどう並べるかを定義した一連の規則によって（少なく

とも近い形で）捉えることができる。

ChatGPTは、そのような規則について明白な「知識」を持ち合わせていない。それでも、訓練されるなかでどうにかして暗黙的にはそれを「発見」するし、その規則に従うのも得意なようだ。これはどうやって動いているかというと、「概観」レベルではよく分かっていない。それでも、ある程度の根幹を理解するために、もっとずっと単純な例を調べてみると参考になりそうだ。

連続した開きカッコ「(」と閉じカッコ「)」だけで構成されるある種の「言語」を考えてみよう。文法は、開きカッコと閉じカッコが必ず対応するという規則だけで、解析木で表すと次の図のようになる。

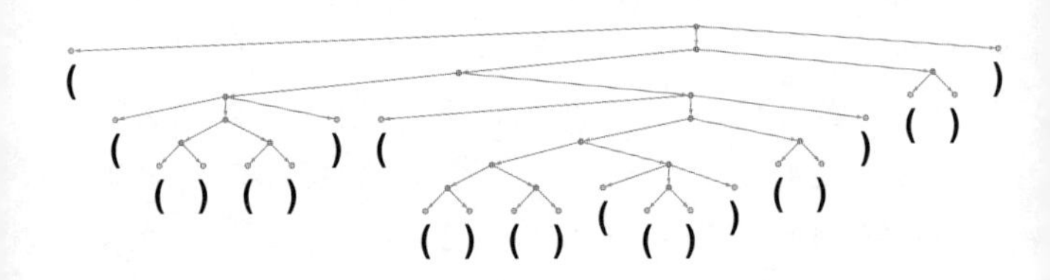

ニューラルネットを訓練して、「文法的に正しい」カッコの列を生成できるだろうか。ニューラルネットで文字列を扱う方法はいろいろあるが、ここではChatGPTと同様、トランスフォーマーネットワークを使ってみる。シンプルなトランスフォーマーネットワークがあれば、文法的に正しいカッコの列を訓練用のサンプルとして示すことができる。目立たないことだが、内容（コンテンツ）を表すトークン以外に、つまりここでは「(」と「)」以外に、「終了」トークンも追加する必要がある（これは、

ChatGPTで人間の言語を生成するときにも用いられている)。出力がそれ以上は続かないことを示すために生成されるトークンである(ChatGPTの場合、そこが「1つの話の終わり」になる)。

アテンションヘッドが8個、特徴ベクトルの長さが128というアテンションブロックを1つだけ持つトランスフォーマーネットワークを想定してみると(ChatGPTも特徴ベクトルの長さは128だが、アテンションは96個で、それぞれのアテンションヘッドも96個だ)、このカッコ言語について多くを学習させることはできそうにない。だが、アテンションブロックが2個になると、1000万くらいのサンプルを与えてやったあとであれば、学習プロセスは収束するようである(そして、トランスフォーマーネットではよくあるのだが、ここからさらに学習サンプルを増やすと、そのパフォーマンスは低下するようだ)。

したがって、このニューラルネットを使うと、ChatGPTと類似した動作を行なうことができ、カッコの列で次に来るトークンが何になるか、その確率を次のように求めることができる。

((()()(

(	46%
)	54%
End	0.038%

((()()))

(	51%
)	15%
End	34%

1つ目の場合、列がここでは終わらないと、このニューラルネットはかなり「確実に判定」している。それは

正解で、ここで終わってしまったら開きカッコと閉じカッコが非対応になる。一方、2つ目になると、列がここで終わると「正しく認識」しているものの、「また最初からやり直す」ことができるとも「指摘」している。「(」を付け、おそらくは「)」も続けるということだ。ところが、苦労して訓練した重みが40万前後あるにもかかわらず、次のトークンが「)」になる確率も15%はあると言っているではないか。もちろんこれは正しくない。それでは必ずカッコが非対応になってしまうからだ。

段階的に長くなる「(」の列に対して、最も確率の高い終わらせ方を尋ねてみた結果は、次の図のようになる。

( )
(( ))
((( )))
(((( ))))
((((( )))))
(((((( ))))))
((((((( )))))))
(((((((( ))))))))
((((((((( )))))))))
(((((((((( ))))))))))
((((((((((( )))))))))))( ) (非対応)
(((((((((((( ))))))))))) (非対応)
((((((((((((( ))))))))))))( ))
(((((((((((((( ))))))))))))( )))

((((((((((((((( )))))))))))))))
(((((((((((((((( ))))))))))))))))( ))) (非対応)
((((((((((((((((( )))))))))))))))))) (非対応)
(((((((((((((((((( ))))))))))))))))))
((((((((((((((((((( )))))))))))))))))))
(((((((((((((((((((( ))))))))))))))))))))( ))

　これを見ても分かるように、ある程度の長さまでなら首尾は上々だ。だが、そこから先は破綻しはじめる。ニューラルネットを使うこのような「高精度」の状況で、これはごく普通に起こる。人間が「ひと目で答えを出せる」ケースなら、ニューラルネットも答えを出せる。しかし、「さらにアルゴリズム的」な処理が必要になるケースになると（たとえば、いちいち数え上げて、カッコがきちんと対応しているかどうかを確かめる）、ニューラルネットは「計算処理的に浅く」なりすぎて、信頼性が落ちてしまう（ちなみに、ChatGPTの現在のフルシステムでさえ、長い列の中でカッコを正しく対応させるのは難しい）。

　そうなると、ChatGPTのようなシステムと、英語のような言語の構文にとってこれはどんな意味を持つのだろうか。カッコ言語は「簡素」なもので、むしろ「アルゴリズム的な例」だった。だが英語では、局所的な単語の選択などの手がかりをもとにして、文法的に何が当てはまるかを、もっとずっと現実的に「推測」することができる。そして、ニューラルネットはそれがもっとずっと得意だ。ただし、「形式的に正しい」ケースを見逃すことはあるのだが、見逃すという点は人間でも変わらない。いずれにしても重要なのは、言語に総体的な統語構造〔文章の持つ規則的な配列のこと〕があるという事実だ。そこにはあれこれと規則性が生じるので、ニューラルネットが学習しなければならない「学習量」は、ある意味で限定的になる。そして、ChatGPTで使われているようなニューラルネットのトランスフォーマーアーキテクチャは、人間のあらゆる言語に（一定の類似性を持って）存在すると考えられる、枝分かれ図のような統語構造をうまく学習できることが、「自然科学的」な観察から分かっているのである。

構文が、言語にある種の制約をもたらすことは分かった。だが、それだけではないことも明らかだ。「Inquisitive electrons eat blue theories for fish（好奇心旺盛な電子が魚の青い理論を食べる）」という文は、文法的に正しいが、普通なら人が口にすることはありえない。ChatGPTがこの文を出力したとしたら、まず合格とは見なされないだろう。この文に並んだ単語を通常の意味どおりに捉えたら、まったく意味を成さないからだ。

それでは、ある文が意味を成すかどうかを判定する一般的な方法はあるのだろうか。あるといえる全面的な理論は、従来の考え方では存在しない。だが、ウェブなどから取得した何十億という文（意味があるはずの）で訓練されたChatGPTは、暗黙的にその「理論を展開させた」と考えることができるのである。

その理論とはどんなものだろうか。この問いについて考えるにあたっては、2000年以上前から知られている、ささやかな分野がある。論理学だ。アリストテレスが確立した三段論法の形式では、特定のパターンに従う文が論理的であり、そうでない文は論理的ではないと判定される。その基準となるのが論理である。たとえば、「すべてのXはYである。これはYではない。したがって、これはXではない」と述べるのは論理的ということだ。具体的には、「すべての魚は青い。これは青くない。したがって、これは魚ではない」などとなる。ここで、アリストテレスは修辞法（レトリック）のたくさんの例を（いわば「機械学習的に」）調べ尽くすことで三段論法の論理を発見したのだと、ふざけ半分で想像することができる。それなら、訓練の過程でChatGPTも、ウェブページなどの文章をたくさん見ることで「三段論法の論理を発見」できることになると想像できるだろう（だから、ChatGPTは三段論法の論理に基づいて「正しい推論」を含む文章を生成できると予想できる。だが、さらに高度な形式論理となると話はまったく別になる。カッコの対応を見つけるときに失敗があったのと同じ理由で、ここでも失敗はありえるのだ）。

それでは、論理学という限定的な例を超えて、妥当な意味を持つ文章を体系的に構築できる（あるいは認識できる）手法とは、どのようなものになるといえるのだろうか。まず、Mad Libsという言葉遊びのようなものがあって、その場合はごく限定的な「フレーズのテンプレート」を使う。だがChatGPTには、明言されていないとしても、それより汎用性の高い方法がある。「ニューラルネットに1750億個の重みがあると、なぜだかそうなる」という以上の説明は、おそらくできないのだが、もっとシンプルで、もっと確実な理由はあるはずだ。

意味空間と「意味論上の運動の法則」

ChatGPTの内部では、どんな文章も数字の配列として表現されており、これはある種の「言語特徴空間」における点の座標と考えることができる。したがって、ChatGPTが文章の続きを出力するのは、言語特徴空間で軌跡を描くことに当たるといえる。そうなると、次に考えるのは、意味を成していると私たち人間が考える文章にこの軌跡を対応させる要素は何かということだ。言語特徴空間における点が、「有意味性」を維持したままどうやって位置を変えるのか、それを定義する、もしくはせめて制約する「意味論上の運動の法則」といえるものは存在するのだろうか。

まず、この言語特徴空間とはどのようなものか。特徴空間を二次元に落とし込んで投影した場合に、1単語（ここでは普通名詞）がどう配置されるのか、それを示したサンプルが次ページの上の図である。

植物と動物を表す単語の例も以前に示したことがある。どちらの場合も、肝心なのは「意味的に似た単語」どうしが近隣に置かれるという事実だ。

もうひとつ、次ページの下に示したのは、さまざまな品詞に対応する単語を並べてみた図である。

もちろん、1つの単語がいつも「1つの意味」しか持たないわけではない（1つの品詞にだけ当てはまるとも限らない）。また、ある単語を含む文が特徴空間でどう

operation
degree
unit
science
literature
society
writing
committee
economy
music
art
member
growth
rates
sale
collection
organization
works
movement
chapter
costs
century
history
payment
production
capacity
income
product
temperature
money
distribution
duty
arms
protection
activity
status
security
food
door
car
eyes
business
family
estate
assistance
effects
presence
remains
king
property
addition
truth
direction
story
friend
management
parts
person
corporation
education
cell
example
extent
fact
moment
life
wife
child
development
values
thought
learning
system
means
might
getting
death
environment
ways
being
knowledge
terms
opinion
application
men
construction
method
plaintiff
theory
basis
are
problem
judgment
defendant
information
response
solution
decision
years
procedure
analysis
data
situation
year
period
policy
statement
trial
office
days
government
conditions
heart
day
disease
meeting
night
agency
resolution
text
minutes
authority
language
words
agreement
peace
event
names
nation
country
numbers
percent
relationship
community
cent
relations
population
street
area
road
river
town
county

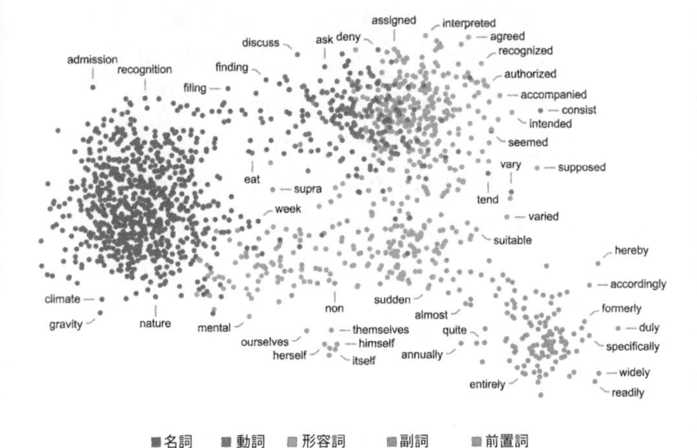

assigned
interpreted
discuss
ask
deny
agreed
recognized
admission
recognition
finding
authorized
filing
accompanied
consist
intended
seemed
vary
supposed
eat
supra
tend
week
varied
suitable
hereby
accordingly
climate
sudden
formerly
gravity
nature
non
almost
mental
themselves
quite
duly
ourselves
himself
specifically
herself
itself
annually
widely
entirely
readily
■名詞 ■動詞 ■形容詞 ■副詞 ■前置詞

配置されているかを見ると、同じ単語に違う意味があると「気づかされる」ことも多い。この例でいえば、“crane”という単語がそうで、「鶴」の意味も、機械の「クレーン」の意味もある。

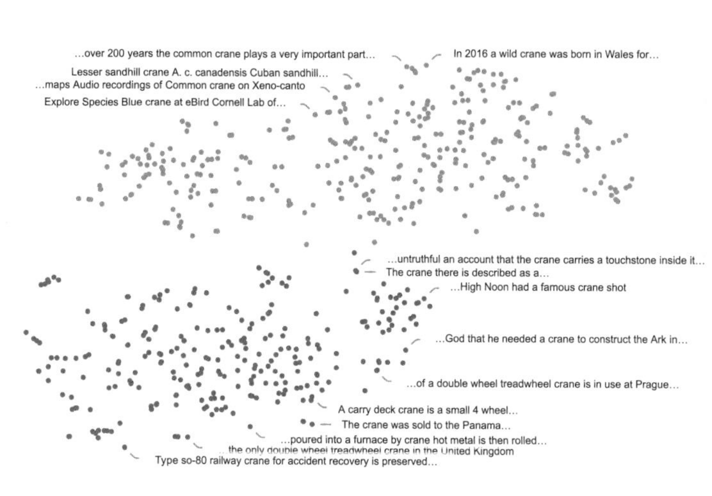

こうした特徴空間で、「意味的に近い単語」どうしは空間上でも近隣に配置されると考えて差し支えなさそうなことが、これで分かった。では、この空間からほかにどんな構造を読み取れるだろうか。たとえば、空間上の「平坦性」を反映する「平行移動」のような概念は存在するのだろうか。そのことを理解するひとつの手が、次ページ上の図のように類似度を調べることだ。

二次元に投影した場合でさえ、普遍的に見られるということではないにしても、「平坦性の手がかり」が得られることは多い。

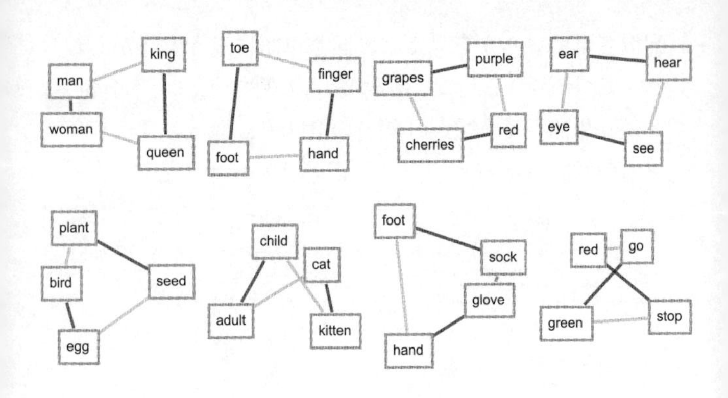

では、軌跡はどうなるだろう。ChatGPTでのプロンプトが特徴空間でたどる軌跡を調べてみよう。ChatGPTがどうやって続きを生成するかが見えてくる。

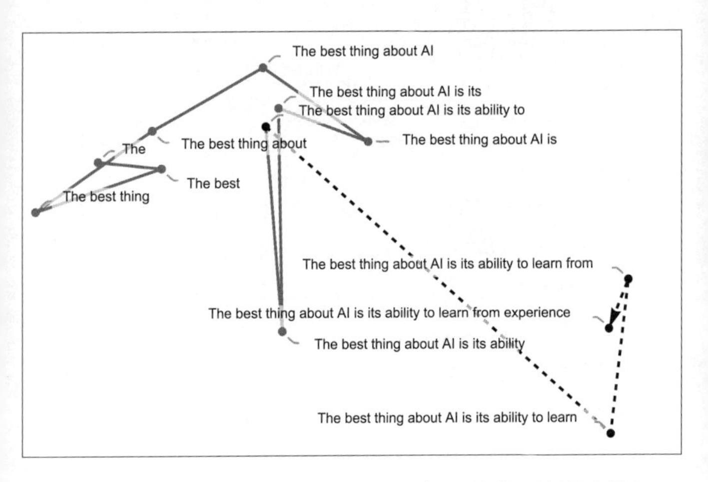

たしかに、「幾何学的に明らか」な運動の法則は見られないが、特に驚くには当たらない。それほど単純な話でないことは、十分に予想されていたからだ。たとえば、

仮に「意味論上の運動の法則」が発見されたとしても、それがどのような埋め込み（要するに、「変数」）によって表されるのが自然かということは、とうてい明らかにならない。

前ページ下の図を見ると、「軌跡」には複数のステップがある。そのステップごとに、ChatGPT が最も高確率だ（温度ゼロに当たる）と判断した単語が選択されている。ただし、ある時点でどんな単語がどんな確率で「次に続く」かを尋ねることも可能だ。

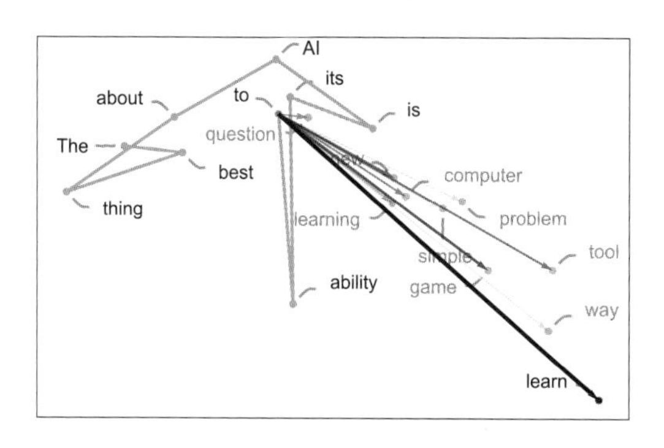

そして、このような場合には、特徴空間の中で多かれ少なかれ明確な方向に進みそうな高確率の単語が「扇形」を描いていくことも分かる。これを続けていったらどうなるのだろうか。上の軌跡をそのまま延長線上に「進めて」いったときに描かれる後続の「扇形」を並べると、こうなる。

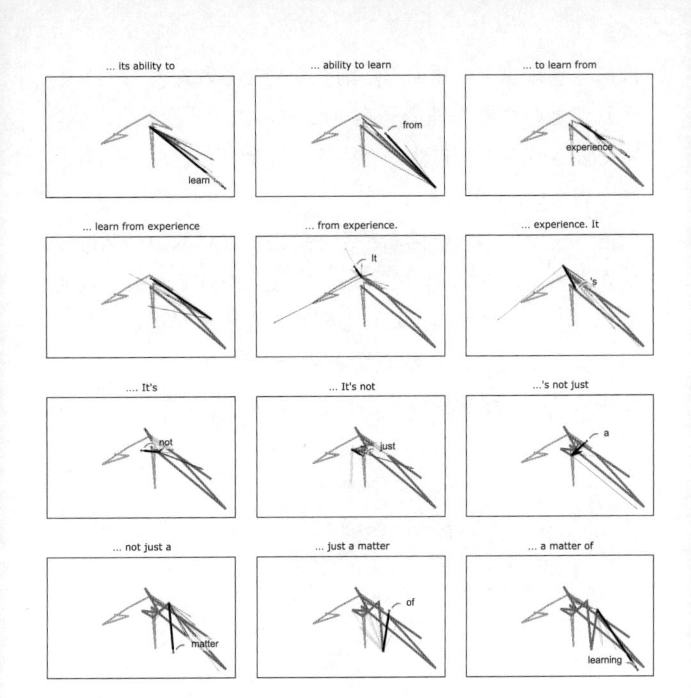

これを三次元で表したのが次の図で、ステップ数は全体で 40 になる。

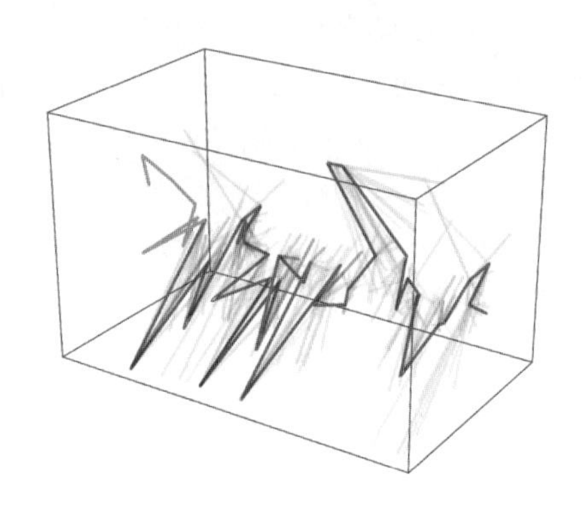

ご覧のように、どうにも収拾がつかない結果になってしまった。これでは、「ChatGPT の内部動作」を実証的に調べていけば「数理物理学的」な「意味論上の運動の法則」を見いだせるはずだ、という予想に対して何の傍証にもなりそうにない。しかし、もしかしたら私たちが「間違った変数」を（あるいは間違った座標系を）調べているだけだという可能性もある。正しい変数あるいは座標系を調べれば、たとえば測地線をたどるといった「数理物理学的に単純」な処理を ChatGPT が実行していると、最後には判明するのかもしれない。だが今のところ、人間の言語がどのように「成り立っている」かについて ChatGPT が「発見」したことを、その「内部動作」から「経験的にデコード」できるには至らなかったとしておこう。

意味文法と計算言語の力

「意味のある人間の言語」を生成するのに必要なものは何だろうか。以前なら、人間の脳をおいてほかにないと考えたかもしれない。だが今では、ChatGPTのニューラルネットでも、かなり巧みにそれをこなせることが分かってきた。それでも、ここまでが限界であり、これ以上にシンプルな、つまりもっと人間に理解しやすいものが登場することはないという可能性もある。しかし、ChatGPTが成功したことで、ある重要な「科学的」事実が暗示されたのではないかという疑問を私は拭いきれない。つまり、意味のある人間の言語には、私たちに分かっている以上に理解しやすい構造があり、そのような言語の成り立ちを説明するかなりシンプルな規則が最終的には存在するかもしれない、ということだ。

前述したように、品詞などの分類に対応する単語が、人間の言語でどのように並べられるかという規則を定めているのが構文文法である。だが、意味を扱うには、それ以上のものが必要になる。それを実現するひとつの可能性が、構文文法だけでなく意味文法まで踏み込むことだ。

構文を考えるときには、名詞か動詞かといったことを識別する。一方、意味を考えるためには、「もっと細かい階調(グラデーション)」が必要だ。それがあれば、たとえば「動く」という概念と、「動いて位置が変わってもその本質を維持」している「もの」という概念を区別できるかもしれない。こうした「意味論上の概念」は、具体的な例を無数にあげられるが、ここで考えている意味文法のためには、「もの」は「動く」ことができるという概要的な規則だけあればいい。この問題について論じたいことはいろいろあるが、ここでは、これから予想される方向性を示す所見をいくつか述べるにとどめよう。

ある文が、意味文法に従えばまったく問題ない場合でさえ、その内容が実際にあった（もしくは、ありうる）とは限らないという点も参考になるだろう。“The elephant traveled to the Moon”（ゾウが月へ旅行した）という文は、意味文法からすると間違いなく「合格」だが、私たちが知る現実の世界で実際にあったわけではない（少なくとも、今のところはまだ）。それでも、架空の世界でなら格好の素材になるだろう。

「意味文法」という話題になると、「その裏に隠れているものは何か」とか、どんな「世界モデル」を想定しているのかと問いたくなる。構文文法の中心は、単語から言葉を組み立てることにある。一方、意味文法には必ず、なんらかの「世界モデル」が関わってくる。実在する単語から作られた言葉を上層として重ねるとき、その土台となる「骨組み」として機能するのが「世界モデル」である。

少し前までなら、（人間の）言語こそ、私たちの「世界モデル」を一般的に記述できる唯一の手段だと考えたかもしれない。数世紀前からすでに、特定のことがらについては形式化が始まっており、その基盤となるのは数学だった。だが今では、形式化に対してもっとずっと一般性の高いアプローチが進んでいる。それが計算言語である。

計算言語は、40年以上にわたって私自身の一大プロジェクトとなってきた（現在はWolfram言語として形になっている）。世界のものごとについて可能なかぎり広く説明できる厳密な記号表現を開発するとともに、関心のあることを抽象するというプロジェクトである。たとえば、都市、分子、画像、ニューラルネットなどを表す記号表現があり、そうしたものごとに関する計算方法についての知識も組み込んである。

数十年間の研究で、こうして多くの領域をカバーしてきた。だが、特に「日常的な談話」に関しては、これまでのところ扱えていない。“I bought two pounds of apples”（私は1キロのリンゴを買った）という文の場合、“two pounds of apples”（1キロのリンゴ）の部分は簡単に表現できる（また、栄養素その他の計算もできる）。ところが、“I bought”（私は買った）については記号表現が（今はまだ）ないのである。

こうしたことがすべて、意味文法の考え方に、そして概念を表す汎用的な記号の「構成キット」をそろえようという目標につながっている。そのようなキットがあれば、そこから、何と何ならうまく組み合わせられるかというルールや、人間の言語に置き換えられるものの「フロー」に関するルールが得られるはずなのだ。

ひとまず、そのような「記号による談話言語」があるとして、ではそれをどう扱うのか。「局所的に意味のある文章」を生成するようなことは始められるかもしれない。しかし、最終的に必要なのは「全体的に意味がある」結果だろう。つまり、世界に（あるいは、もしかしたら整合性のある架空の世界に）実際に存在しうる、または発生しうることについてもっと「計算する」という意味である。

現在のWolfram言語には、多種多様なことに関して、膨大な量の計算知識〔Wolframプラットフォームに蓄積されていて、計算処理に使える情報のこと〕が組み込まれている。それでも、記号による談話言語として十全に機能させるには、この世界の多種多様なことについて追加の計算を組み込まなければならない。ものがAからBへ、BからCへ動いた場合、AからCに動いたことになる、といったことである。

記号による談話言語があれば、それを使った「独立した言明」が可能になるだろう。だが、それを使って世界について質問することもできる。それが「Wolfram|Alpha」流だ。あるいは、おそらく外的な駆動メカニズムを使って「はたらきかけたい」ものについて言明することもできる。それは現実の世界に関することかもしれないし、私たちが想定している架空その他、特定の世界に関することかもしれない。

人間の言語は本質的に不正確で、それは具体的な計算の実装に「つながって」いないという理由が大きい。そして、言葉の意味は基本的に話者どうしの「社会的契約」によってのみ定義されている。一方、計算言語はその性質上、一定程度の本質的な厳密さを備えている。なんといっても、計算言語で指定されることは常に「曖昧さを持たずにコンピューター上で実行される」からである。人間の言語は、たいてい一定の不明瞭さにうまく対処できる（たとえば「惑星」と言ったとき、それが太陽系外惑星を含むのかどうかは、たいてい理解される）。しかし計算言語となると、どんな区別についても必ず厳密かつ明快でなければならない。

計算言語でも、名前を付けるときには普通の人間言語を利用したほうが都合がいいことも多い。それでも、それが計算言語のなかで持つ意味は必ず厳密になり、人間の言語で一般的に使われるときのような一定の含意は、伝わる場合も伝わらない場合もある。

汎用的な記号による談話言語にふさわしい基本的な「存在論（オントロジー）」は、どう理解すればいいのか。無論、容易なことではない。2000年以上も前にアリストテレスが始めた原初の問いの頃から、ほとんど進展がなかったのも、おそらくそのためだ。それが今では、世界について計算的に考えるにはどうすればいいか、多くのことが分かるようになっている。これは大きな手がかりだ。

では、以上の話はChatGPTに関してどんな意味を持つのか。ChatGPTは、意味文法に当たるものを一定量（しかもかなりの量）、その訓練から効果的に「まとめあげる」。しかし、その処理に大きく成功しているからこそ、もっと完全なものを計算言語の形で構築することも可能だろうと合理的に考えられるのである。そして、ChatGPTの内部についてこれまでに分かったこととは違って、人間にも分かりやすいように計算言語を設計することは可能そうなのだ。

意味文法を考えるときには、三段論法の論理との類似性も見いだすことができる。最初のうち、三段論法の論理は人間の言語で表される文についての規則の集まりだった。だが（それから2000年がたって）形式論理学が生まれると、三段論法の当初の基本構造を利用して、巨大な「形式論理という塔」を築けるようになった。そこには、現代のデジタル回路まで含まれる。そして、予想されるとおり、汎用的な意味文法にも同じ展開が当てはまる。最初のうちこそ、処理できるのは、たとえば文章として表現された単純なパターンに限られるかもしれない。だが、ひとたび計算言語のフレームワーク全体が構築されると、それを利用して「一般化した意味の論理」という高い塔を建てることもできる。そうなれば、これまで人間には使えなかったあらゆるものを通じて、形式化された厳密なやり方が可能になる。以前なら、いろいろな不明瞭さがある人間の言語を介して「基礎的なレベル」でしか望めなかったことだ。

計算言語の、つまりは意味文法の構築は、ものごとを表現するときの究極的な圧縮手法の一種と見なすことができる。普通の人間言語に存在する、ありとあらゆる「言いまわし」を弄することなく、ものごとの本質について語ることができるからだ。そして、ChatGPTの大きな利点も、これとよく似たものと見なすことができる。これもある意味では、考えられる多様な言いまわしを顧慮することなく、「意味論的に有意な形に言葉をまとめる」ことが可能な段階まで「推し進めた」ものだからである。
それでは、基盤となる計算言語にChatGPTを応用したらどうなるのだろうか。計算言語は、実現可能なことを記述できる。それでも、追加できるのが、たとえばウェブなどのコンテンツすべてから読み取ったものに基づいて「何の確率が高いか」という感覚であることは変わらない。ところが、その土台で計算言語が動いているとなると、還元不能かもしれない計算を利用できる究極的なツールにも等しい機能を、ChatGPTはその根源のところですぐに利用できることになる。ということは、単に「順当な文章を生成する」だけではなく、その文章が世界について実際に「正しい」ことを述べているかどうかをめぐって解決可能なことは何でも解決できる、あるいは話題にしそうなことは何でも解決できると期待されるシステムを実現できるのである。

ということで、ChatGPTは何をしているのか、なぜ機能するのか

ChatGPTの基本的な概念は、あるレベルに限ればごくシンプルだ。ウェブや書籍などから、人が作った文章の膨大なサンプルを集めるところから始まる。次に、「それと似た」文章を生成するようにニューラルネットを訓練する。具体的には、「プロンプト」から始めて、「訓練に使われたのと同じような」文章を続けられるようにするのである。

ここまでに見てきたように、ChatGPTで使われている実際のニューラルネットはいたって単純な要素で構成されている。ただし、その量は膨大だ。ニューラルネットの基本的な動作も同じくきわめて単純であり、ある時点までに生成した文章から導き出した入力を、「その要素を介して1回ずつ」(ループ処理は行なわない)、生成される新しい単語(または単語の一部)ごとに渡しているにすぎない。

だが、驚異的なのは——そして意外でもあるのは——、ウェブ上や書籍などで見られる文章に見事に「似ている」文章をこのプロセスが生成できるということだ。筋の通った人間の言語になっているだけでなく、「読み取った」内容を利用しながら、「プロンプトに即し」た「内容を話す」のである。「普遍的に意味のある」こと(あるいは、正しい計算に対応すること)を常に話すとはかぎらない。なぜなら、(たとえばWolfram|Alphaの

ような「強大な計算能力」を利用できないかぎり)、訓練データの中で「そう思われた」ことに基づいて「正しいと思われる」ことを話すだけだからである。

ChatGPTの個々の設計には、称賛すべき点がある。だが、つまるところ(少なくとも外部ツールを使う前までの段階では)、ChatGPTは蓄積してきた「一般通念」から「筋の通った文章のスレッド」の一部を取得している「だけ」だ。それでも、人間らしい結果になっているのは驚異的である。すでに述べたように、ここには科学的にきわめて重要な示唆がある。人間の言語は(そして、それを支えている思考のパターンは)、どうやら私たちが考えていたよりも単純であり、その構造はもっと「規則的」らしいということだ。そのことを暗黙のうちに明らかにしたのがChatGPTである。一方、私たちは意味文法や計算言語などを使って、それを分かりやすく明示できるかもしれない。

ChatGPTが文章を生成する機能には、目を見張るものがある。その出力結果はたいてい、私たち人間が出力するものにかなり近いのだ。だとすると、ChatGPTは人間の脳のように動いているといえるのだろうか。たしかに、その基盤にある人工ニューラルネットの構造は、脳を理想化した姿をもとにモデル化された。そして、私たち人間が言葉を紡ぎ出すときに脳で起きていることの多くが、人工ニューラルネットに酷似しているという可能性はかなり高い。

訓練(学習ともいう)について考えると、私たちの脳と現在のコンピューターという双方の「ハードウェア」

（そして、おそらくはまだ開発されていないアルゴリズム上の概念）は互いに異なっている。そのため、ChatGPTは脳とはおそらくかなり違う（ある意味で効率も低い）戦略をとらざるをえない。ほかにも特徴がある。一般的なアルゴリズム計算とは違い、ChatGPTは内部に「ループ」を持っておらず、「データを再計算」することもない。そうなると、必然的に計算能力は制限される。現在のコンピューターと比べてさえそうで、まして人間の脳と比べた場合には差は歴然となる。

その問題を「修正」しつつ、しかも妥当な効率でシステムを訓練できる機能を維持するにはどうすればいいのか、答えは明らかではない。だが、それが可能になれば、ChatGPTは今後もっと「脳と同じようなこと」をこなせるようになるだろう。もちろん、人間の脳が得意としていないことも多い。還元不能な計算を伴う処理がその代表である。そうした問題に対しては、脳も、ChatGPTのようなシステムも「外部ツール」を検討する必要がある。その一例がWolfram言語だ。

とりあえず当面は、ChatGPTがすでにできるようになったことに期待が高まる。あるレベルで見るとこれは、単純な計算素子が大量にあれば、思いもよらない驚異的なことを実現できるという科学上の基本的事実の格好の事例といえる。だが別の面で見ると、人間の条件、すなわち人間の言語とそれを支えている思考のプロセスで中心的な機能となる根本的な特性と原理は何か、それを深く理解することに向けて、過去2000年で最大のはずみになるということでもある。

謝　辞

ニューラルネットの発展を、私は40年間追い続けてきた。その間、多くの方々と言葉を交わしてきた。付き合いの長い方もいれば、短い方もいる。ジュリオ・アレッサンドリーニ、ダリオ・アーモデイ、エティエンヌ・ベルナール、タリエシン・ベイノン、セバスチャン・ボーデンシュタイン、グレッグ・ブロックマン、ジャック・コーワン、ペドロ・ドミンゴス、ジェシー・ガレフ、ロジャー・ジャーマンドソン、ロベルト・ヘクト＝ニールセン、ジェフ・ヒントン、ジョン・ホップフィールド、ヤン・ルクン、ジェリー・レトビン、ジェローム・ローラドゥール、マービン・ミンスキー、エリック・ムジョルスネス、ケイデン・ピアース、トマソ・ポッジオ、マテオ・サルバレッツァ、テリー・セジノウスキー、オリバー・セルフリッジ、ゴードン・ショー、ジョナス・シェーベリ、イリヤ・スツケベル、ジェリー・テザウロ、ティモシー・ベルディィエの各氏とは、特に長い月日を重ねてきた。あらためて感謝したい。本書に協力してくださったジュリオ・アレッサンドリーニとブラド・クレーには、特に感謝の意を表す。

第2部

Wolfram|Alpha——
計算知識の強大な力を ChatGPT に

ChatGPT と Wolfram|Alpha

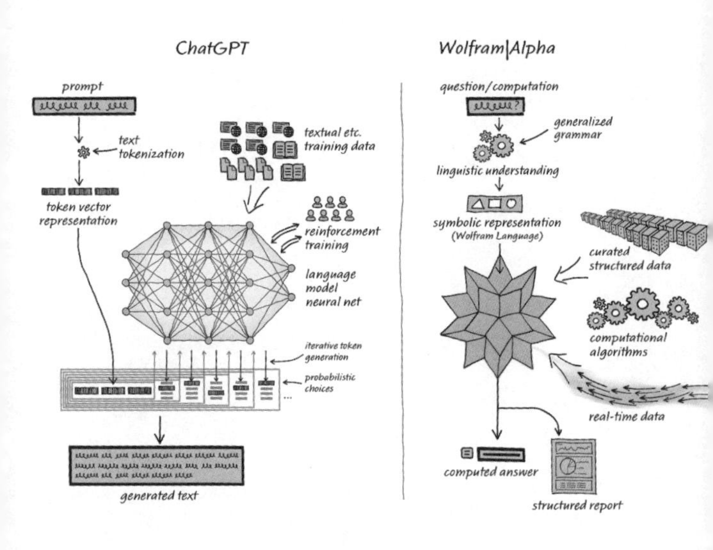

ある日突然、何かが「しっかり動く」ようになるのは、やはり感動するものだ。Wolfram|Alphaにも、2009年にそんな日が訪れた。2020年には、Wolfram物理学プロジェクトでそれが起こっている。そして、最近そうなったのが、OpenAI社のChatGPTである。

私はニューラルネットの技術を長年（細かく言うと、ほぼ43年間）追いかけてきた。ここ数年の発展も見ているが、そんな私にとってさえ、ChatGPTの性能はかなり驚異的に見える。ついに、しかも突然、ほとんど何についてでも文章を巧みに生成できるシステムが登場したのだ。出力された文章は、人が書いたものと比べても遜色がない。感心するし、役に立つ。別のところでも書いたように、ChatGPTの成功は人間の思考の本質について、いたって根本的な課題を投げかけている。

しかし、人間のようなことを自動的にこなすという驚くべき成果が目立っているものの、役に立つことがどれも「人間のような」わけではない。なかには、もっと形式に沿った、構造化されたものもある。実際、過去何世紀かをかけて人間の文明が達成してきた偉業のひとつは、数学という精密科学のパラダイムを築き上げ、純粋に人間的な思考とかけ離れた能力の拠り所を生み出したことだ。とりわけ、今ではコンピューターによる計算処理が特に重要になっている。

私自身も、計算処理のパラダイムに長いあいだ深く携わってきたが、そこで追究してきたのは、この世界のできるだけ多くのものごとを記号という形式で表す計算言語を作り出す、その一点だった。そうするなかで、自分や他人がしたいことを「計算処理で支援する」、さらには強化することが私の目標になっていった。私が考えるのは、人としての行為だ。だが、Wolfram言語とWolfram|Alphaが独自の「強大な計算能力」を活用するところも、とっさに思い浮かべることができる。その力を利用して私は、人間の範疇を超えたこともいろいろと実行できるのである。

これは、何かを成し遂げるうえでとりわけ強大な力になる。しかも肝心なのは、それがわれわれ人間にとって重要なだけではないということだ。人間のようにふるまう人工知能（AI）にとっても、それ以上にとは言わないまでも、等しい程度には重要なのである。われわれが考える計算知識の強大な力を直接的にもたらし、構造化された計算と構造化された知識という、人間とは異質な力を活用できる。

こうしたことがChatGPTにとってどんな意味を持つのか、われわれはそれを検証しはじめたばかりだ。それでも、すばらしいことが実現するということだけは明らかに分かっている。Wolfram|Alphaの機能は、実にさまざまな点でChatGPTとは大きく異なっているが、このふたつの間には共通するインターフェースがある。それが自然言語だ。つまり、ChatGPTは人間と同じようにWolfram|Alphaに「話しかける」ことができる。Wolfram|Alphaは、ChatGPTから受け取った自然言語を、厳密な記号計算言語に変換し、そこに計算知識の力を応用することができるのである。

これまでの何十年かというもの、AIに関しては「統計的手法」と「記号的手法」という二分法の考え方が続いてきた。前者はChatGPTで使われている手法であり、後者は事実上Wolfram|Alphaの出発点になる手法である。だが今では、一方にChatGPTの成功があり、もう一方ではわれわれがWolfram|Alphaに自然言語を理解させてきた経緯もあって、この2つを組み合わせ、一方だけでは成しえなかったもっと大きな課題に取り組めるようになった。

基本的な例から

本質的にいうとChatGPTとは、その訓練に使われているウェブページや書籍その他の中にある情報の「パターンに従って」、言語という出力を生成するシステムである。驚異的なのは、短い文章だけでなく小論文全篇ほどの規模になってさえ、その出力が人間なみになっていることだ。学習した概念を踏まえて、つじつまの合ったことを言うし、思いがけず興味深い内容になっていることも少なくない。出力は、少なくとも言語のレベルに限るなら、必ず「統計的にもっともらしい」結果になっている。だが、たとえ感心するような結果だったとしても、ChatGPTが得意げに披露する事実や計算が常に正しいという保証はまったくない。

私が試してみたのが、次の例だ（念のために言っておくと、ChatGPTにはもともとランダムな性質があるので、同じ質問を試してもおそらく同じ結果にはならない）。

How far is it from Chicago to Tokyo?
シカゴから東京までの距離は？

イリノイ州のシカゴから日本の東京までの距離は、およそ7,600マイル（1万2200キロメートル）です。かなりの距離であり、どんな輸送機関でもこの間の移動にはかなりの時間がかかります。シカゴ（イリノイ州）から東京（日本）までの実際の飛行時間は約16時間ですが、これには風力や空港での離陸待ちの時間などの要因は含まれていません。

なかなか説得力がある。だが、間違いであることはたちまち分かる。Wolfram|Alpha なら、次のように答えてくれる。

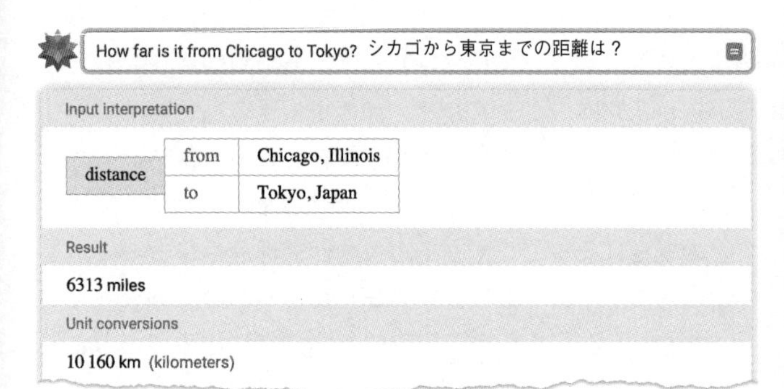

公平を期すために言っておくと、これはWolfram|Alphaが得意とする類（たぐい）の質問だ。構造化と選別を経た知識に基づいて、厳密な計算に変換したうえで実行できる質問だからである。

おもしろいのは、Wolfram|Alpha がこの問いに関してChatGPT を自動的に支援してくれることだ。Wolfram|Alpha には、プログラムを使って質問することができる（ウェブ上の API その他を使うこともできる）。

*In[•]:=*WolframAlpha["what is the distance from Chicago to Tokyo", "SpokenResult"]

*Out[•]=*The distance from the center of Chicago, Illinois to the center of Tokyo is about 6313 miles

もう一度、今度はこの結果を付け加えて、ChatGPT

に質問してみよう。

How far is it from Chicago to Tokyo? The distance from the center of Chicago, Illinois to the center of Tokyo is about 6313 miles
シカゴから東京までの距離は？　イリノイ州シカゴの中心から東京の中心までの距離はおよそ6,313マイルです。

訂正ありがとうございます。ご指摘のとおり、イリノイ州のシカゴの中心から日本の東京の中心までの距離はおよそ6,313マイル（1万160キロメートル）です。この距離は、それぞれの都市で出発地点および到着地点となる具体的な位置によって多少違ってきます。

How far is it from Chicago to Tokyo?
シカゴから東京までの距離は？

イリノイ州のシカゴから日本の東京までの距離は、およそ6,313マイル（1万160キロメートル）です。かなりの距離であり、どんな輸送機関でもこの間の移動にはかなりの時間がかかります。シカゴ（イリノイ州）から東京（日本）までの実際の飛行時間は約16時間ですが、これには風力や空港での離陸待ちの時間などの要因は含まれていません。

ChatGPTは、訂正に対していたって丁寧に感謝したうえで、再度の質問に今度は正しく答えている。Wolfram|Alphaでの問答の往復は、もっと合理的に処理できそうだが、それでも純粋な自然言語を使ったこの簡単な手法が、基本的にはうまく機能していることが分かる。

ところで、ChatGPTはそもそも最初になぜ正しく答えられなかったのだろうか。訓練中のどこかで、シカゴと東京の間の距離を実際に学習していれば（ウェブページなどから）、きっと正解できただろう。だが、これこそが、ニューラルネットですぐに実行できる種類の汎化——たとえば都市間の距離に関する多数の事例から学習したのだろう——では通用しないケースなのだ。ここには、実際の計算アルゴリズムが必要になるのである。

Wolfram|Alpha の処理は、これとまったく違う。自然言語を受け取ると、それが現実的だという前提で、それを厳密な計算言語（つまり Wolfram 言語）に変換する。

```
In[●]:=GeoDistance, GeoDistance[ Chicago CITY , Tokyo CITY ]
Out[●]= 6296.06 mi
```

各都市の座標と、その間の距離を計算するアルゴリズムは、Wolfram 言語に計算知識として組み込まれている。そう、Wolfram 言語には、膨大な量の計算知識が組み込まれているのである。これこそ、何十年もかけてわれわれが積み重ねてきた成果だ。慎重に選定してきた情報が今では大量のデータとして蓄積され、常に更新されている。メソッドやモデル、アルゴリズムを実装し（新たに考案することも多い）、あらゆるものごとに対応する、首尾一貫した計算言語を体系的に構築しているのだ。

そのほかの例をいくつか

ChatGPTとWolfram|Alphaは、動作のしくみが大きく異なっており、強みもそれぞれ違う。ここでは、ChatGPTがWolfram|Alphaの長所をどう活用できるかを理解しやすいように、ChatGPTだけでは正しい答えを出せないケースを考えてみよう。ChatGPTが苦労しがちなのが、人間の場合と同様、数学を相手にするときだ。

What is 3 to the power 73?
3の73乗は？

3の73乗は3^73に等しく、およそ14,091,714,236です。

指数〔ChatGPTの出力のままだが、この用語は正しくない。これ以降にも、ChatGPTの説明は随所に正しくない点があることに注意〕を計算するには（底）^（指数）=（答え）という公式を用います。たとえば、3^73を計算するには、底に3を代入し、指数に73を代入するので、3^73はおよそ14,091,714,236となります。

この結果は概数であることに注意してください。3^73の実際の値は非常に大きく、ほとんどの計算機やコンピューターでは正確に表せないためです。

教科書のような文体で、なかなかおもしろい。だが、肝心の結果は間違っている。

What is 3 to the power 73?　３の７３乗は？

Input

3^{73}

Result

67 585 198 634 817 523 235 520 443 624 317 923

Scientific notation

$6.7585198634817523235520443624317923 \times 10^{34}$

Number names　Full name

67 decillion ...

67 million billion billion billion ...

一方、ChatGPT が Wolfram|Alpha に「助言を求め」てみると、当然、正しい答えが得られる。

もう少しだけ複雑な例を試してみよう。

circumference of an ellipse with half axes 3 and 12
短軸が 3、長軸が 12 の楕円の円周は？

楕円の円周は、次の公式で概算することができます。

円周≒π * √ ((a^2 + b^2)/2)

ここで、a と b はそれぞれ楕円の長軸と短軸の長さです。長軸とは２つある軸のうち長いほうで、楕円の中心を通って楕円を半分に分割します。短軸は２つある軸のうち短いほうです。

長軸が３で短軸が 12 の楕円の場合、円周は次のように求められます。

円周≒π * √ ((3^2 + 12^2)/2)】
≒約 27.3

この楕円の円周はおよそ 27.3 です。
この公式は概算である点に注意してください。楕円の円周は、さらに複雑な式を使うともっと正確に計算できます。

一見したところ結果は良さそうなので、つい信用したくなる。だが、やはり答えは間違っていて、Wolfram|Alphaによると次のような結果になる。

circumference of an ellipse with half axes 3 and 12 短軸が 3、長軸が 12 の楕円の円周は？

Input interpretation

ellipse	semi-axis lengths 3 | 12	circumference

Result

$48\,E\left(\frac{15}{16}\right) \approx 51.4705$

E(m) is the complete elliptic integral of the second kind with parameter m = k^2

つまり、数学の宿題に（Wolfram|Alphaを使わず）ChatGPTを使おうとするのは、たぶん賢くないということだ。以下のように、実にもっともらしい答えを出すことがある。

What is the integral of x^2 cos(2x)?
x^2 cos(2x) の積分は？

x^2 cos(2x) の積分とは、関数 y = x^2 cos(2x) の曲線でできる面積を数学的に表したものです。次の公式を用いて求めることができます。

∫ x^2 cos(2x) dx = (1/4) x^3 sin (2x) - (1/8) x cos (2x) + C

ここで、C は任意の定数であり、∫ が積分を表す記号です。

関数の積分とは、2 点間におけるこの関数の曲線でできる面積を表したものです。この曲線と X 軸、および 2 つの点を表す垂線とによって囲まれた領域の面積を計算して求めることができます。

x^2 cos(2x) の積分の公式は、積分の手法と規則を使って導き出されます。この公式は、x が一定範囲のときに有効であり、x の値がそれ以外の場合は正しい答えを得られないことがあります。

しかし、「真に数学を理解」していない以上、ChatGPTが確実に正しい答えを得ることは、基本的に不可能である。ここでもやはり、答えは間違っている。

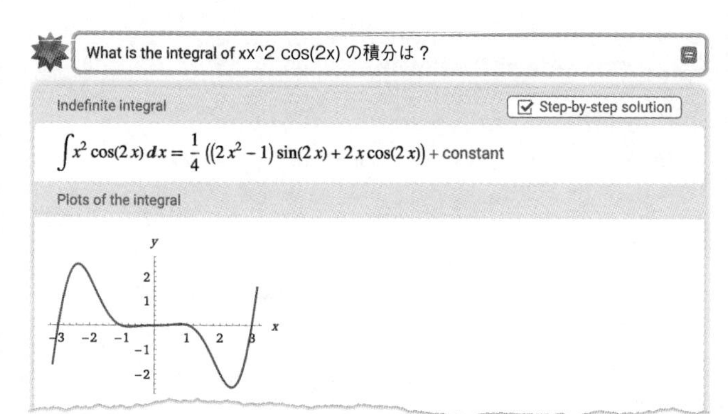

にもかかわらず、ChatGPTは「その答えを求めた経緯」について、実にもっともらしい説明を作り上げることができる（その説明が本当に「それを求めた」経緯になっているわけではない）。ChatGPTによる説明には、数学を理解していない人間が犯すのとよく似た誤りが含まれており、その点はなかなか憎めない（そして興味深い）。

Show how you derived that
それをどうやって導き出したか説明してください。

x^2 cos(2x) の積分を求める公式を導き出すには、以下の手順に従います。

1. 積分を求めたい関数を書き出します。この場合は、y = x^2 cos(2x) です。
2. 積分の手法と規則を用いて、この関数の積分を求めます。たとえば、以下のような規則に従います。

・定数の積分と関数との積は、定数と関数の積分との積になる。
・x^n の積分は (x^(n+1))/(n+1) + C で、このとき C は定数、n は正の整数である。
・sin(x) の積分は、-cos(x) + C、cos(x) の積分は sin(x) + C で、このとき C は定数である。
3. この公式に適切な値を代入して簡約すると、最終的な結果が求められます。

たとえば、x^2 cos(2x) の積分を求めるときは、以下の手順になります。

1. 関数 y = x^2 cos(2x) から始めます。
2. x^n の積分についてこの規則を用い、x^2 の積分を求めます。これで (x^3)/3 + C が得られます。
3. cos(x) の積分についてこの規則を用い、cos(2x) の積分を求めます。これで (1/2) sin(2x) + C が得られます。
4. 上記の手順 2 と 3 で求めた結果を積算して x^2 cos(2x) の積分を求めます。これで、((x^3)/3 + C) * ((1/2) sin(2x) + C) = (x^3)/6 sin(2x) + Cx^3 + C^2 が得られます。
5. 結果を簡約します。

このように、「本当にはどんな意味か理解していない」ために問題が起こっている箇所が、至るところにある。

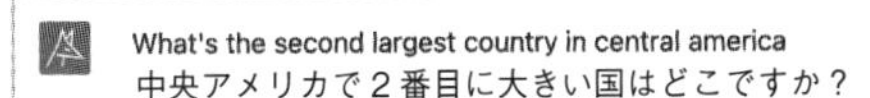
What's the second largest country in central america
中央アメリカで2番目に大きい国はどこですか？

中央アメリカで2番目に大きい国（面積で）は、グアテマラです。グアテマラは中央アメリカの北部に位置し、北と西はメキシコと国境を接し、東はベルリーズとカリブ海に面しており、南にはホンジュラスとエルサルバドルがあります。国土面積はおよそ 108,889 平方キロメートル（42,042 平方マイル）で、中央アメリカ最大の国であるニカラグアよりわずかに狭いくらいです。

納得しそうだが、これも正しくはない。

What are the largest countries in Central America? 中央アメリカで２番目に大きい国はどこですか？

Assuming "largest" refers to total area | Use GDP or population instead
Assuming Central America | Use Central America with Mexico instead

Input interpretation

largest countries	by total area
	in Central America

Result　More

1	Nicaragua	50 336 mi²	
2	Honduras	43 278 mi²	
3	Guatemala	42 042 mi²	
4	Panama	29 120 mi²	
5	Costa Rica	19 730 mi²	

ChatGPTは、この基礎データをどこかで正しく学習しているようなのだが、「そのデータの意味を理解」していないために、数字を正しい順序に並べられないのである。

what are the largest countries in central america
中央アメリカで大きい国はどこですか？

中央アメリカで大きい国を面積順に並べるとこうなります。

1. ニカラグア - 130,730 平方キロメートル（50,193 平方マイル）
2. グアテマラ - 108,889 平方キロメートル（42,042 平方マイル）
3. ホンジュラス - 112,492 平方キロメートル（43,278 平方マイル）
4. エルサルバドル - 21,041 平方キロメートル（8,124 平方マイル）
5. コスタリカ - 51,100 平方キロメートル（19,656 平方マイル）
6. パナマ - 78,200 平方キロメートル（30,193 平方マイル）

これらの数値は各国の総面積を表したもので、その国の一部ではない島々も含まれていることに注意してください。中央アメリカの一部の国、たとえばホンジュラスやエルサルバドルなどは小さく、その他のたとえばニカラグアやグアテマラは大きいといえます。

「これこれの具体的な不具合を修正する」方法なら見つかると思うかもしれない。だが重要なのは、ChatGPTのような言語ベースの生成系AIシステムで基盤となっている考え方だ。構造化された計算処理で対応できる状況で最適解を見つけるという発想ではないのである。言い換えると、Wolfram|Alphaなら、そのごく一部だけで構造的な手法を用いて達成できることでさえ、ChatGPTでは、ほぼ無限に存在する「不具合」の「修正」が発生してしまうことになる。

また、「計算の連鎖」が複雑になればなるほど、正解を得るにはWolfram|Alphaが必要になってくる。たとえば、以下の例ではChatGPTの答えにだいぶ混乱が見られる。

How big is Mercury, and are any planetary moons larger than it?
水星の大きさはどのくらいですか？　これより大きい衛星はありますか？

水星は、太陽系で最も小さい惑星です。月より少し大きいくらいで、直径は約3,032マイル（4,880キロメートル）。太陽系に、水星より大きい衛星は存在しません。太陽系で大きい衛星は、木星のガリレオ衛星、つまりガニメデ、カリスト、イオ、エウロパです。このなかではガニメデが最大で、直径は約3,274マイル（5,268キロメートル）なので、水星より若干大きい。ただし、これらの衛星は木星の周囲を公転していて、木星は水星よりはるかに大きい惑星です。

Wolfram|Alphaで確認すれば、この結論が正しくないことが分かる（Wolfram|Alphaは、ある意味であらかじめ「知っている」）。

What planetary moons are larger than Mercury?
水星より大きい衛星は何ですか？

Assuming "larger" refers to average radius | Use mass instead

Input interpretation

planetary moons	larger than	Mercury	average radius

Result

Ganymede

Titan

Orbital properties　Show metric　More

具体的な（たとえば定量的な）データが関係してくると、元の形態で使うときでさえ、「Wolfram|Alpha が有利」な展開になる傾向がある。次の例は、昔から Wolfram|Alpha で定番になっている試験的なクエリー、“How many turkeys are there in Turkey?”（トルコに七面鳥は何羽いるか？）からヒントを得た質問だ。

Tell me about livestock populations in Turkey
トルコにおける家畜の飼育数を教えてください。

トルコは、家禽類、牛、羊、ヤギなどの家畜の主要生産国です。国連食糧農業機関（FAO）の 2020 年時点のデータによると、トルコ国内の家畜の飼育数は以下のとおりです。

- 家禽類：トルコでは家禽飼育産業が盛んで、鶏が約 5 億 3700 万羽、七面鳥が約 3700 万羽、カモが約 300 万羽です。
- 牛：トルコでは牛の飼育数は比較的少なく、約 740 万頭です。
- 羊：トルコでは羊の飼育が盛んで、約 2560 万頭です。
- ヤギ：トルコではヤギの飼育も盛んで、約 1070 万頭です。

以上の主要な畜産のほか、馬、ロバ、ラクダなど他の動物も少数ながら飼育されています。

これも、（一見したところ）総合的にもっともらしく見え、適切な出典からの引用もある。だが、このデータは基本的に「でっち上げ」なのである。

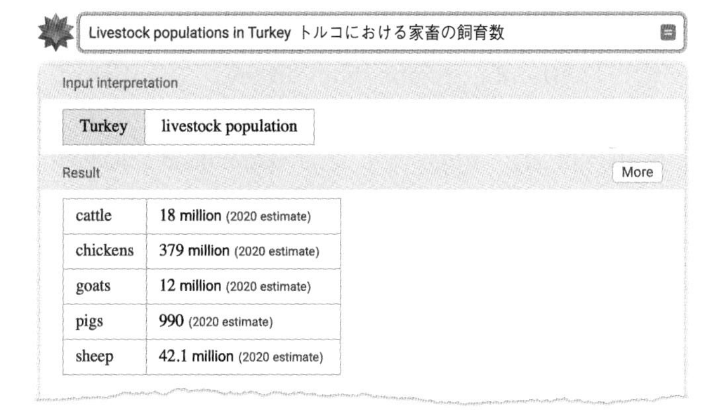

cattle	18 million (2020 estimate)
chickens	379 million (2020 estimate)
goats	12 million (2020 estimate)
pigs	990 (2020 estimate)
sheep	42.1 million (2020 estimate)

それでも、ChatGPTが「事実（ファクト）の確認を頼む」ような指示に対応しているところは評価できる。

Give me a simple keyword query that could be answered by each numerical value in your response; only list the queries

そちらが応答するとき数値で答えられる単純なキーワードの質問を教えてください。質問文だけ列挙して。

・「トルコにおける鶏の数」
・「トルコにおける七面鳥の数」
・「トルコにおけるカモの数」
・「トルコにおける牛の数」
・「トルコにおける羊の数」
・「トルコにおけるヤギの数」

そこで、これらの質問をWolfram|Alpha APIに指定してみる。

```
In[•]:=WolframAlpha[#, "SpokenResult"] & /@
    {"Number of chickens in Turkey", "Number of turkeys in Turkey",
    "Number of ducks in Turkey", "Number of cattle in Turkey",
    "Number of sheep in Turkey", "Number of goats in Turkey"}
Out[•]={In 2020, Turkey had about 379 million chickens as livestock,
    In 2020, Turkey had about 4.8 million turkeys as livestock,
    In 2020, Turkey had 560000 ducks as livestock,
    In 2020, Turkey had about 18 million cattle as livestock,
    In 2020, Turkey had about 42.1 million sheep as livestock,
    In 2020, Turkey had about 12 million goats as livestock}
```

Insert this corrected data into your original response, surrounding each modified value with "**":
修正された以下のデータを最初の答えに挿入し、変更した値は太字にしてください。
{"In 2020, Turkey had about 379 million chickens as livestock", "In 2020, Turkey had about 4.8 million turkeys as livestock", "In 2020, Turkey had 560000 ducks as livestock", "In 2020, Turkey had about 18 million cattle as livestock", "In 2020, Turkey had about 42.1 million sheep as livestock", "In 2020, Turkey had about 12 million goats as livestock"}

修正されたデータを前回の回答に挿入しました。

トルコは、家禽類、牛、羊、ヤギなどの家畜の主要生産国です。国連食糧農業機関（FAO）の 2020 年時点のデータによると、トルコ国内の家畜の飼育数は以下のとおりです。

・家禽類：2020 年の時点で、トルコでは鶏が約 3 億 7900 万羽、七面鳥が約 4800 万羽、カモが約 56 万羽です。
・牛：2020 年の時点で、トルコでは牛の飼育数は約 1800 万頭です。
・羊：2020 年の時点で、トルコでは羊の飼育数は約 4210 万頭です。
・ヤギ：2020 年の時点で、トルコではヤギの飼育数は約 1200 万頭です。

以上の主要な畜産のほか、馬、ロバ、ラクダなど他の動物も少数ながら飼育されています。

これで、このデータを注入して、最初の回答を修正するよう ChatGPT に指示できるようになった（修正点を太字で示してもいる）。

「ファクトを注入」できる機能が特に有効なのは、リアルタイムの（現在地などに関連する）データや計算を伴う場合だ。ChatGPT は、これに直接は答えない。

What planets can I see tonight?
今夜はどの惑星が見えますか？

申し訳ございませんが、今夜の星空でどの惑星が見えるか、現時点の情報がありません。今どの惑星が見えるかを確認するには、プラネタリウムアプリかウェブサイトを参照する必要があります。そうしたツールなら、あなたの現在地と現在時刻を使って、空に見える惑星に関する情報を示してくれます。よく使われているプラネタリウムアプリとしては、Sky Guide、Star Walk、Stellarium などがあります。あるいは、現在位置で見える惑星に関する情報は、印刷された星図を見るか、天文学者にお尋ねください。

一方、Wolfram|Alpha API なら適切にこう出力される。

```
In[•]:= Values[WolframAlpha["What planets can I see
        tonight",
        {{"Input", "PropertyRanking:PlanetData"},
        "Plaintext"}]]
```

Out[●]= {planets | above the horizon | 10:00 pm, Mercury
| Mercury is below the horizon
Venus | Venus is below the horizon
Mars | Mars is above the horizon
Jupiter | Jupiter is above the horizon
Saturn | Saturn is below the horizon
Uranus | Uranus is above the horizon
Neptune | Neptune is above the horizon}

この情報をChatGPTに与えると、「教科書のように」良好な結果が得られる。

Revise your answer, incorporating this data:
以下のデータを取り込んで回答を修正してください。
{"planets | above the horizon | 10:00 pm",
"Mercury | Mercury is below the horizon
Venus | Venus is below the horizon
Mars | Mars is above the horizon
Jupiter | Jupiter is above the horizon
Saturn | Saturn is below the horizon

指定された情報によると、午後10時の時点で地平線より上にある惑星は、火星、木星、天王星、海王星です。惑星の見え方は現在地と季節によって異なります。現在の立地でどの惑星が見えるか、正確かつ最新の情報を見るには、プラネタリウムアプリかウェブサイトを使うことをおすすめします。

計算処理と人間との間には、ときどきおもしろい対話が成立する。Wolfram|Alphaに、かなり奇抜な質問を投げてみた例がこれだ（正しくはソフトクリームか、という提案までしている）。

How many calories are there in a cubic light year of ice cream?
1 立方光年分のアイスクリームのカロリーはどのくらいですか？

Assuming ice cream | Use soft-serve ice cream instead

Assuming any type of ice cream | Use ice cream, vanilla or more instead

Input interpretation

ice cream	amount	1 ly^3 (cubic light year)	total calories

Average result　Show details

1.4×10^{54} Cal (dietary Calories)

Unit conversions

5.8×10^{57} J (joules)

5.8×10^{64} ergs
(unit officially deprecated)

ChatGPT はまず、量の指定にかなり困惑している。

How many calories are in a cubic light year of ice cream?
1 立方光年分のアイスクリームのカロリーはどのくらいですか？

申し訳ございませんが、1 立方光年分の何か、ましてやアイスクリームというのは想定できません。1 光年は体積ではなく距離の単位であり、およそ 5 兆 8,800 億マイルに当たります。光が 1 年間で進める距離の単位です。したがって、1 立方光年分の物質を持つことは不可能であり、アイスクリームでも同じです。

だが次には、そんな量のアイスクリームというのが、実にばかげているということに「気づく」ようだ。

1 立方光年というのは、極端な体積です。というか、巨大すぎて既知の物質を、アイスクリームも含めて、このサイズに当てはめることはできません。

たとえば、1 光年は光が 1 年間に進む距離に等しい距離の単位です。光が 1 年間に進む距離はおよそ 5 兆 8,800 億マイル（9 兆 4600 億キロメートル）です。

1光年のスケールを考えると、1立方光年は想像できないくらい膨大な体積です。したがって、1立方光年分のアイスクリームのカロリーを計算することは不可能です。それほどの量のアイスクリームを1まとまりの体積に収めることはできません。

今後の展望

機械学習は強力な手法であり、とりわけこの10年間で驚異的な成功を収めてきた。そのなかで最も新しい成果がChatGPTである。画像認識、自動音声認識、言語の翻訳など各分野で閾値を突破しており、対応する分野はさらに増えている。いずれも、たいてい突然に起きた変化だ。「基本的に不可能」から「基本的に実現可能」に変わった処理もある。

しかし、その結果が「完璧」になることは本質的にありえない。試行した回数のうち95％まではうまくいくものもあるだろうが、どんなにがんばっても、残り5％は不首尾に終わる。目的しだいでは、これを失敗と見なすこともある。だが重要なのは、95％でも「十分に間に合う」大きな用途があらゆる方面に存在するということだ。もしかしたら、その出力がもともと「正解」のない場面で使われるからかもしれない。あるいは、単に確率を明らかにして、人が、もしくはシステム的なアルゴリズムがそれを選択あるいは調整するのに委ねているからかもしれない。

数千億個のパラメーターから成るニューラルネットが、一度に1トークンずつ文章を生成しながら、ChatGPTのような成果をあげられるというのは、見事としか言いようがない。これほど劇的な、しかも予想外の成功を見せつけられると、この調子でどんどん「十分に巨大なネットワークを訓練」していけたら、きっと何でも可能になるのではないかと思うのも無理はない。だが、そうはならない。計算処理に関する根本的な事実、なかでも計算的還元不能性があるため、最終的に可能にならないことは明白だからだ。だが、それ以上に関係してくるのは、われわれが機械学習の実際の歴史ですでに見てきたことだ。ChatGPTのように大きなブレークスルーはあるだろうし、機能向上も止まらないだろう。だが、何より重要なのは、可能になった範囲だけでも成功と判断され、可能でないことがブレーキにならない、そういう活用の場もあるということだ。

当然、執筆の支援に、アイデアの提案に、あるいは各種の文書や対話を助ける文章の生成に、「ChatGPTの出力そのまま」でも有効な場合は多いだろう。だが、完璧を求めたい場合、機械学習はその任に適していないし、その点では人間も適していない。

ここまでに見てきたのが、まさにその例だった。ChatGPTは、「人間のような部分」は実にうまくこなす。もともと厳密な「正解」が存在しない場面だ。一方、何か厳密さを求められる「場面を任される」と、弱点を露呈することが多い。そこで肝要なのが、この問題を解決できる格好の方法はあるということだ。ChatGPTをWolfram|Alphaに、その計算知識という「強大な力」に結び付けるのである。

Wolfram|Alphaの内部では、あらゆるものが計算言語に置き換えられ、Wolfram言語の厳密なコードに変換される。信頼して利用するためには、これが一定レベルで

「完璧」でなければならない。だが、ここで肝になるのが、ChatGPT はそれを生成する必要がないということだ。通常どおりに自然言語を生成すれば、あとは Wolfram|Alpha が自然言語を理解するその能力を駆使して、ChatGPT の自然言語を厳密な Wolfram 言語に翻訳する。

さまざまな意味で、ChatGPT は何ごとも「真に理解」しているわけではないと言っていい。単に「有益な情報を生成する方法を知っている」だけだ。その点、Wolfram|Alpha は状況が異なる。Wolfram|Alpha で何かが Wolfram 言語に変換されると、それは完全で厳密な形式表現になり、そこから信頼性の高い計算処理が可能になる。ただし、「人が関心を持つ」もののうち、計算処理できる形式表現がそろっていないものも多いことは言うまでもないだろう。それでも、不完全ながら、それについて自然言語で語ることはできる。その場合にこそ、圧倒的な能力を備えた ChatGPT がそれ自体で活躍するのである。

しかし、われわれ人間と同じように ChatGPT も、形式と厳密性を備えた「機能による支援」を必要とする場面がある。ただし、ChatGPT が語りたいことを語るときに「形式と厳密性」は不要だ。Wolfram|Alpha が、ChatGPT のネイティブ言語ともいえる自然言語でそれを伝達できるからである。Wolfram|Alpha のネイティブ言語、すなわち Wolfram 言語に変換する際、「形式度と厳密性の導入」は Wolfram|Alpha が担う。実に優れた環境であり、大きな実用の可能性を秘めていると私は考えている。

その可能性は、通常のチャットボット、あるいは文章生成の用途だけにとどまるものでない。データサイエンスをはじめとする多様な計算処理（あるいはプログラミング）にまで広がっている。ある意味では、ChatGPTの人間的な世界と、Wolfram言語の厳密な計算処理の世界、その双方のいいとこ取りができる直接的な方法ともいえる。

ChatGPTが直接Wolfram言語を学習するというのはどうだろうか。そう、それは可能であり、実際すでに始まってもいる。最終的に私が十分にあるだろうと予想しているのは、ChatGPTのようなシステムがWolfram言語で直に動くこと、しかもいたって効果的に動くことなのだ。これは興味の尽きない独特の状況であって、それを実現しているのもWolfram言語の特性だ。この世界やその他の場所にあるものごとについて、計算処理の言葉で広く語ることのできるフルスケールの計算言語、それがWolfram言語なのである。

Wolfram言語は、人間が考えることを取り込み、それを計算処理的に表現して扱えるようにすることを全般的なコンセプトとしている。通常のプログラミング言語は、実行する処理をひとつひとつコンピューターに教え込むための手段である。それに対してWolfram言語は、フルスケールの計算言語としての役割を持ち、もっと大きな目標を掲げている。その目標とは、ひとことで言うと、人とコンピューターがどちらも「計算処理的に思考する」ための言語となることだ。

何世紀も前、数学的な表記法が考案されると、それは人類史上初めて、ものごとについて「数学的に思考する」ための合理的な手段となった。この発明が代数学の、微積分の、そしてさまざまな数理科学の基礎になっている。Wolfram 言語がめざすのは、計算処理的な思考にそれと同じような成果をもたらすことだ。ただし今度は、人間にとってだけではない。計算処理のパラダイムによって開かれる、「計算処理的な何々」と呼べるものすべてを実現しようとしているのである。

私自身、「思考に用いる言語」として Wolfram 言語を活用することで、いろいろと助けられてきた。そして、過去何十年かにわたり、人々が Wolfram 言語を媒介として「計算処理の言葉で思考」してきた結果、多くのことが発展してきたというのはすばらしいことだ。では、ChatGPT はどうか。ChatGPT も、同じような段階に入っていく可能性はある。どの程度うまく機能するのかは、まだ定かではない。ただしここで重要なのは、Wolfram 言語がすでに理解しているような計算のしかたを ChatGPT が学習することではない。人と同じように Wolfram 言語を使えるように ChatGPT が学習することだ。「クリエイティブな小論文」に相当するものを、ChatGPT が今度は自然言語ではなく計算言語で創造できるようにすることなのである。

私はかなり前から、人が執筆する「計算処理的な小論文」という概念を考察してきた。伝達手段として、自然言語と計算言語を融合するのである。今では、ChatGPT がそれを書けるかどうか、そして人間だけではなくコンピューターに対しても「意味のあるコミュニケーション」を図る手段として Wolfram 言語を使えるかどうかという問題になってきた。そこには、実際に Wolfram 言語コードの実行を伴う、注目すべきフィードバックループが成立する可能性がありそうだ。だが、そのためには決定的な要因もある。Wolfram 言語によって表現される「思想」の豊かさと流れは、通常のプログラミング言語とは違って、ChatGPT の自然言語で「魔法のように」紡ぎ出されているものに、もっとずっと近い類のものだということだ。

言い換えるなら、Wolfram 言語は、自然言語と同じように、ChatGPT に対して意味のある「プロンプト」を書くときに使えるほど豊かな表現力に富んでいるということでもある。言うまでもなく、Wolfram 言語はコンピューター上で直接実行することができる。だが、それをChatGPTの「プロンプト」として使えば、「思想を表す」ことができ、その「ストーリー」を続けていくことも可能になる。Wolfram言語で一定の計算処理的な構造を記述し、その構造を計算処理的にどう解釈するかはChatGPT の「即興」に任せるといったこともできる。ChatGPT は人が書いたものを数多く読んで学習しているので、その解釈は「人間にとって興味深い」ものになるだろう。

刺激に満ちたあらゆる可能性が広がっている。突然その可能性を切り開いたのが、ChatGPT の予想外の成功だった。一方、Wolfram|Alpha を通じて ChatGPT に計算知識という強大な力をもたらせるチャンスも、いま目の前に開けた。つまり、ChatGPT は「もっともらしい人間のような出力」を生成できるだけではなく、Wolfram|Alpha と Wolfram 言語に詰め込まれている計算と知識の拠り所を活用した出力も生成できるのである。

監訳者解説

本書は理論物理学者であり、数学ソフトMathematicaや質問応答ソフトWolfram|Alphaの開発で知られるスティーヴン・ウルフラムによるChatGPTの解説書である。第1部ではChatGPTは前から順に確率に基づいて単語を足していくことで文章を生成していることを最初に説明する。次に、ニューラルネットワークの概要とその訓練方法、およびニューラルネットワークの中で単語をどのように数値で表現するかという「埋め込み」の概念について解説する。その後、ChatGPT、GPT-2、GPT-3で使われているトランスフォーマーというニューラルネットワークアーキテクチャの仕組みと訓練方法、そしてその能力についていくつかの実験を交えて説明する。第2部ではWolfram|AlphaとChatGPTを組み合わせることで、様々な課題を解くことができることを、具体例を交えて解説している。

このように本書はChatGPTについて詳しく解説を行なっているが、いくつかの実験や分析はGPT-2を用いて行なっている。読者の中にはGPT-2やGPT-3とChatGPTはどこが違うのか、またその性能の差はどこからくるのか、といった点に関して興味を持った方もいるかもしれない。また、2023年3月に発表されたGPT-4については原著の発売よりも後の話である。そこで本解説では、そのあたりの補足を行なう。

まず、GPT-2とGPT-3の違いであるが、これはそれぞれが持つパラメータの数と訓練データの量である。

GPT-2のパラメータ数は16億、GPT-3のパラメータ数は1750億であり、100倍以上の差がある。なお、ChatGPTはGPT-3と同じ1750億である。また、GPT-4はパラメータ数が公開されていないが、2000億〜1兆程度であると予測されている。訓練データの量は、GPT-2は約40GB、GPT-3は約570GBであり、こちらも大きく増加している。

GPT-3のようなモデルの性能はパラメータ数、データ量、計算量を変数にしたべき乗則に従うことが実験的に分かっており、このことはスケーリング則［1］として知られている。これは例えばモデルのパラメータ数を2倍にしたとき、その性能は2のべき乗倍向上するということを意味している。実験的にパラメータ数、データ量、計算量は多くすればするだけ性能が向上することが分かっており、GPT-2とGPT-3の差はその影響が大きいのである。

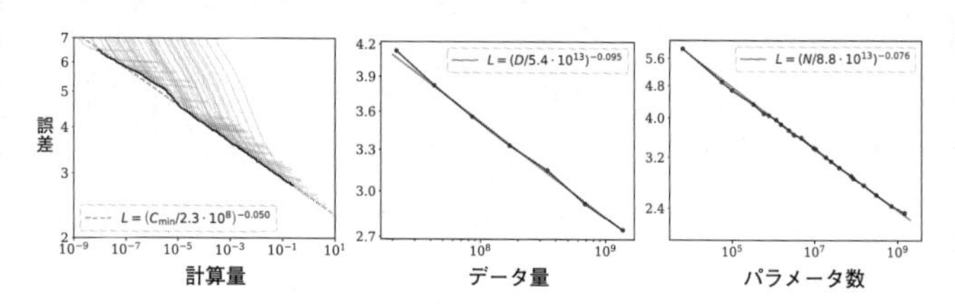

〔出典：Kaplan et al.（2020）p.3〕

さらに興味深いことに、スケーリング則にはその有効範囲に上限が今のところ確認されていない。つまり、この3つの変数を上げ続ければ無限に性能が向上する可能性がある。ただし、性能を1から2に上昇させるために必要なパラメータ数が、性能が1のときの10倍必要だったとすると、2から3にするには性能が1のときの100倍、4にするには1000倍必要になるという計算になり、必要なパラメータの量に対する性能向上の幅は小さくなっていく。また、訓練データにはウェブ上に存在するテキストデータを用いる場合がほとんどであるが、近い将来データが枯渇することも指摘されている [2]。よって、さらなる性能の向上には新たな技術革新が必要である。

次に、GPT-3とChatGPTの違いについて説明する。重要な点として、GPT-3をはじめとする大規模言語モデルは文章の続きを生成するモデル（p10）であるということである。問題は、文章の続きを生成することとチャットの応答を生成することは求められることが異なるということである。具体的には、文章の続きを生成する際は文章の意味が通っていればそれで良いが、チャットの応答は意味が通っているだけではなく、人が好む応答である必要がある。そこで、ChatGPTでは大規模言語モデルに人が好む応答をさせるため、RLHF（Reinforcement Learning from Human Feedback：人間のフィードバックに基づく強化学習）という手法を用いて学習を行なっている。

RLHFは3つのステップからなる。第1ステップは教師あり学習である。人間とAIの理想的なやり取りを人手により作成し、そのデータを用いて大規模言語モデルを学習する。これにより、モデルはある程度人が好む応答が生成できるようになる。

第2ステップは強化学習を行なうための報酬モデルの

学習である。報酬モデルは大規模言語モデルが生成した「応答の良さ」をスコア付けするモデルである。応答の良さとしては「嘘やデマを含まないこと」「差別的・攻撃的な内容を含まないこと」「ユーザの役に立つこと」の3点を基準としている。報酬モデルの学習の方法は以下の通りである。まず第1ステップで学習済みのモデルにより、入力文に対する複数の応答候補を出力させる。次に、人間がその複数の応答に対して順位付けを行なう。順位付けは前述した3点の評価基準により行なう。そして、報酬モデルはその順位を予測できるように学習する。

第3ステップは強化学習である。第1ステップで学習した大規模言語モデルを、報酬モデルにより得られるスコアを最大化するようにさらに学習を行なう。さらに、ある程度学習が進んだら第2ステップに戻り、報酬モデルの再学習を行なうということを反復的に行なう。上記のステップにより、大規模言語モデルは人が好むより良い応答を出力できるようになる。

最後にChatGPTとGPT-4の違いであるが、これはOpenAIがGPT-4のアルゴリズムやパラメータ数、訓練データの量などを公開していないため、詳細は不明である。したがって、（可能性は低いと思われるが）本書で説明されている学習方法や言語処理方法とは全く異なる方法で文章を生成している可能性もある。ただ、おそらくはChatGPTと類似したアルゴリズムを用いつつ、スケーリング則に基づきパラメータ数、データ量、計算量のすべてを増加させたモデルであると考えられている。OpenAIにより公開されているChatGPTとの違いとしては、まず入力できるプロンプトが長いことが挙げられる。ChatGPTでは最大16000トークン（日本語の場合13000文字程度）であったが、GPT-4では最大32000トークンまでの入力が可能である。また、2023年6月の時点では一般公開はされていないが、テキストだけではなく画像も入力することができ、画像の内容について説明させることも可能である。さらに、性能も大きく向上しており、GPT-4はアメリカの司法試験や学力テスト［3］、日本の医師国家試験［4］などで合格点を叩き出すほどになっている。これらはChatGPTでは達成できなかったことである。

GPT-4を用いて構築されたBingAIについても少し触れておく。BingAIはMicrosoft社が開発したAIであり、同社の検索エンジンであるBingをGPT-4と組み合わせることで構築されている。ChatGPTは言語的には自然な文章を生成可能であるが、計算問題や訓練データに含まれていない事実については正しく出力されない場合が多い。そこで本書ではWolfram|AlphaとChatGPTを組み合わせる方法を紹介しており、ChatGPTだけでは正しく回答できない質問にうまく答えられる例がいくつか説明されている。しかし、BingAIはウェブ上の情報を参照して応答を生成するため、ChatGPTでは回答できない質問に正しく回答できる場合がある。例えば、本書ではChatGPTが答えられない例として「シカゴから東京までの距離は？」（p135）という質問が挙げられているが、BingAIは「シカゴから東京までの距離は、約6,260マイル、約10,070キロメートルです」のように適

切な回答を返すことが可能である。一方で、「3の73乗は?」（p139）と聞くとBingAIは誤った回答（「42,701,625,700,000,000,000,000,000,000」）を返すなど完璧ではなく、本書で紹介されたWolfram|AlphaとChatGPTを組み合わせる優位性はいまだ存在している。

参考文献

［1］Jared Kaplan, Sam McCandlish, Tom Henighan, Tom B. Brown, Benjamin Chess, Rewon Child, Scott Gray, Alec Radford, Jeffrey Wu, Dario Amodei (2020). Scaling Laws for Neural Language Models. ArXiv, abs/2001.08361.

［2］Pablo Villalobos, Jaime Sevilla, Lennart Heim, Tamay Besiroglu, Marius Hobbhahn, Anson Ho (2022). Will we run out of data? An analysis of the limits of scaling datasets in Machine Learning. ArXiv, abs/2211.04325.

［3］OpenAI (2023). GPT-4 Technical Report. ArXiv, abs/2303.08774.

［4］Jungo Kasai, Yuhei Kasai, Keisuke Sakaguchi, Yutaro Yamada, Dragomir Radev (2023). Evaluating GPT-4 and ChatGPT on Japanese Medical Licensing Examinations. ArXiv, abs/2303.18027.

参考資料

『What Is ChatGPT Doing … and Why Does It Work?（ChatGPTは何をしているのか、なぜ動くのか）』

本書の原著のオンライン版、実行可能なコード付き

wolfr.am/SW-ChatGPT

『Machine Learning for Middle Schoolers（中学生にも分かる機械学習）』（スティーヴン・ウルフラム著）

機械学習の基本概念についての簡潔な入門書

wolfr.am/ML-for-middle-schoolers

『Introduction to Machine Learning（機械学習入門）』（エティエンヌ・ベルナール著）

最新の機械学習に関する手引き、実行可能なコード付き

書籍版：wolfr.am/IML-book、オンライン版：wolfr.am/IML

Wolframの機械学習

Wolfram言語における機械学習の機能

wolfr.am/core-ML

Wolfram U上の機械学習に関するセクション

各種のレベルに応じて機械学習を学べるインタラクティブな学習コース

wolfr.am/ML-courses

『How Should We Talk to AIs（AIと対話する）』（スティーヴン・ウルフラム著）

自然言語と計算言語を使ったAIとの対話についてまとめた2015年度版の小論。

wolfr.am/talk-AI

Wolfram 言語

wolfram.com/language

Wolfram|Alpha

wolframalpha.com

この「参考資料」のオンライン版

wolfr.am/ChatGPT-resources

監訳者

稲葉通将（いなば・みちまさ）

電気通信大学人工知能先端研究センター准教授。1986年生まれ。2012年3月、名古屋大学大学院情報科学研究科社会システム情報学専攻博士後期課程短縮修了。同年4月より広島市立大学大学院情報科学研究科知能工学専攻助教、2019年4月より現職。共著に『IT Text 深層学習』、『Python でつくる対話システム』、『人狼知能』。

訳者

高橋　聡（たかはし・あきら）

翻訳者。1961年生まれ。翻訳会社勤務を経て、2007年からフリーランス。日本翻訳連盟副会長。著書に『1秒でも長く「頭」を使いたい 翻訳者のための超時短パソコンスキル大全』など。訳書にブテリン『イーサリアム』、ウォン『現代暗号技術入門』、ポイボー『機械翻訳』。

著者略歴

１９５９年、ロンドン生まれ。理論物理学者。１９８０年にカリフォルニア工科大学で理論物理学の博士号を取得。１９８７年には数式処理システム「Mathematica」や質問応答システム「Wolfram|Alpha」の開発で知られるソフトウェア開発企業「ウルフラム・リサーチ」を創業し、現在もＣＥＯを務める。また、映画『メッセージ』（２０１６）では異星人の使用する文字言語の解析や、恒星間航行に関する科学考証を担当している。

ハヤカワ新書 009

ChatGPTの頭の中

二〇二三年七月二十五日 初版発行
二〇二三年十月 十五 日 三版発行

著者 スティーヴン・ウルフラム
監訳者 稲葉通将
訳者 高橋聡
発行者 早川浩
印刷所 中央精版印刷株式会社
製本所 中央精版印刷株式会社
発行所 株式会社 早川書房
東京都千代田区神田多町二ノ二
電話 〇三-三二五二-三一一一
振替 〇〇一六〇-三-四七七九九
https://www.hayakawa-online.co.jp

ISBN978-4-15-340009-2 C0204
Printed and bound in Japan

未知への扉をひらく

「ハヤカワ新書」創刊のことば

誰しも、多かれ少なかれ好奇心と疑心を持っている。そして、その先に在る納得が行く答えを見つけようとするのも人間の常である。それには書物を繙いて確かめるのが堅実といえよう。インターネットが普及して久しいが、紙に印字された言葉の持つ深遠さは私たちの頭脳を活性して、かつ気持ちに余裕を持たせてくれる。

「ハヤカワ新書」は、切れ味鋭い執筆者が政治、経済、教育、医学、芸術、歴史をはじめとする各分野の森羅万象を的確に捉え、生きた知識をより豊かにする読み物である。

早川 浩